新版
NEW EDITION

BASIC KANJI BOOK

―基本漢字500―

VOL.2

Chieko Kano
Yuri Shimizu
Hiroko Yabe
Eriko Ishii

BONJINSHA CO., LTD.

はじめに

　本書は、非漢字系の学習者に漢字を少しでも効率的に、そして体系的に教えようという試みで作られたものである。筑波大学の留学生教育センターでは、1986年4月から「漢字学習研究グループ」を作り、パーソナル・コンピューターを利用した漢字学習プログラムの開発、実践、研究などを進めながら、漢字の何が難しいのか、どうすれば効率的に漢字の学習ができるのか、などを模索してきた。そのグループのメンバーが1987年秋に作成した『基本漢字の練習Ⅰ・Ⅱ』の試用版は、当センターの日本語コースで1年間使用してきたが、その使用結果を検討し、改訂を加えたものが本書である。

　当センターの初級集中日本語コース（約500時間）は、関東・甲信越の国立大学に配置される文部省の研究留学生を対象に行われていた。学生のほとんどは、非漢字系であり、配置先の大学での研究活動に必要な日本語力を養成するというコースの目的を達成するためには、効率的な漢字教育が不可欠である。また、漢字を学習することによって、日本語そのものの運用能力が高まる、あるいは日本語的な認識方法ができるようになる、という利点もある。例えば、漢字の拾い読みによる速読であるとか、単漢字の意味から未習の複合語の意味を類推することなど、特に、中級・上級へと進む意志のある学習者にとって、漢字学習の効用は大きい。

　しかし、これまでの日本語教育では、漢字の学習は個々の学習者の努力に委ねられるのが普通で、漢字の重要性、その習得の難しさにもかかわらず、漢字の教授法や教材の研究などが十分になされてきたとはいえない。語彙とともに一つ一つ辛抱強く書き取りをして暗記していくしかない、という旧態依然としたやり方では、途中で挫折してしまう学習者も多いはずである。

　本書を作るに当たっては、まず漢字の難しさを次のように分析してみた。
　（1）字形の複雑さ
　（2）数の多さ
　（3）表意性・表語性（アルファベットなどの表音文字とは違うという点）
　（4）日本語の表記システムの複合性（ひらがな・カタカナとの併用）
　（5）多読性・多義性などの特性
以上のような難しさを短期間に克服させるためには、ある程度理論的な説明も必要であろうし、また、「基本漢字」というような最小限の数の漢字を選んで、学習者にとりあえずのゴールというものを設定してやることも必要なのではないだろうか。単に主教材である文法や会話の教科書に出てくる言葉をやさしいものから順に漢字で教えるというのではなく、漢字の成り立ちを体系的に教えるとか、読解につなげるための語彙体系と結びつけて教えるとか、将来の漢字学習・日本語学習を効率的にするような基本単位としての漢字を教える姿勢がなければならないと思われる。また、日常よく見

る漢字も積極的に取り上げて、漢字学習の動機を高めることも大切である。せっかく漢字を苦労して覚えても、日常生活に必要な情報が一向に得られるようにならないという苛立ちは、学習者を出口の見えないトンネルに追い込むようなものだからである。

本書の目的は、基本漢字500字を使って、学習者に

1. 漢字学習に関する知識（字源・表意性・音訓のルール・書き方・部首など）を体系的に教える

2. 漢字の運用能力（文脈からの意味の推測・複合漢語の意味構造の分析・漢字語の意味から文の意味を理解することなどを含む総合的な力）をつける

3. 覚えた漢字をいつでも必要に応じて記憶の中から取り出して活用できるような覚え方、思い出し方、整理法などを工夫させる

ということである。もちろん、学習させる500字に関しては、読み書きができるようにしなければならないことはいうまでもない。

基本漢字500字の選定に当たっては、上記の目的を達成するための効率を第一義に考えて、以下のような手順で決定した。

①漢字の成り立ちを教えるための漢字（象形文字・指事文字・会意文字など）を採用する。

②漢字力を読解につなげるために、主語・述語となる基本的な名詞、動詞、形容詞に使われる漢字を選ぶ。

③部首の概念を教えるために、基本的な部首として機能する漢字を選び、また各部首を持つ漢字がある程度の数集まるように調整する。

④使用頻度や造語性が高い漢字を採用する。（学習研究社の『新しい漢字用法辞典』、国立国語研究所の『現代新聞の漢字』、および『現代雑誌九十種の用語用字』を参照した。）

⑤人名・地名の漢字や日常よく目にする表示の漢字については、500字の枠外でも紹介する。

このようなわけで、500字の中には、本当はその漢字自体が大切なのではなく、その漢字が他の漢字の要素となっているので、その漢字の書き方を覚えることで、他の多くの漢字が覚えやすくなるというようなものも含まれている。また、字源や部首を説明する際は、外国人にわかりやすいこと、外国人の記憶を助けるようなものであることが重要であると考えたので、本当の字源や部首とは違った説明をあえてしたところもあることをお断りしておく。

いずれにしても、学習効率というのは、実際に教材を使ってみた結果を重ねていかなければ結論は出せないものであるから、この500字の内容についても、さらに使いながら修正していくべきだと考えている。今後もできるだけ多くの方々に使っていただき、ご意見、ご批評をいただければ幸いである。

本書の編集方針、500字の選定、学習内容の配列などは、漢字学習研究グループの
メンバー4人が定例ミーティングで話し合い、検討し、決めてきたものであるが、当
センターで教えている数多くの日本語担当教師からも、実際に授業で使用してみた上
でのさまざまな意見・批評・助言などが出された。その先生方の体験、意見なども本書
には大いに反映されている。それから、試用版から第2版までこの本を使って漢字を
勉強した数多くの留学生たちから得た数々の貴重なコメントも忘れることはできない。
　なお、本書の各課の学習内容の担当者は、以下の通りである。

　　　加納千恵子…………1、2、3、4、5、6、7、25、26、27、36、44、45
　　　清水百合…………11、12、13、14、28、29、30、33、41、42、43
　　　谷部(竹中)弘子……8、9、16、17、19、20、21、24、34、35、37、38
　　　石井恵理子…………10、15、18、22、23、31、32、39、40

　また、全体を通して、漢字の成り立ち・読み物については加納、部首・書き方につい
ては清水、形容詞・動詞および語構成については竹中、意味や場面による実用的グルー
ピングについては石井、というように分担して調整を行った。

　　1990年7月

　　　　　　　　　　　　　　　　筑波大学留学生教育センター
　　　　　　　　　　　　　　　　漢字学習研究グループ
　　　　　　　　　　　　　　　　　　加納千恵子　　　清水百合
　　　　　　　　　　　　　　　　　　谷部(竹中)弘子　　石井恵理子

改訂にあたって

　なお、2004 年の改訂にあたり、『Basic Kanji Book』vol.1とvol.2の学習を終えて、『Intermediate Kanji Book』に進んだ学習者が参照する際の便宜を考え、巻末に「漢字番号順音訓索引」をつけた。本書は初級学習者を対象としているため、初級で扱わないような語の読みは載せていないが、巻末の新しい索引には、常用漢字表に載っている読みをすべて示してある。今後の学習に役立てていただければと思う。

　2004 年 1 月

著者一同

新版発行にあたって

　1989 年に『Basic Kanji Book』を世に出してから、25 年の年月が流れました。この間、当初からの漢字教育の理念は全く変わっていませんが、いろいろな修正を加えてはきたものの、一部の内容や装丁、レイアウトなどに古さが目立つようになってきました。そこで、2015 年を機に新版を発行できることになりました。これも、25 年間の長きにわたり本書を愛用してくださった先生方、学習者の皆様のおかげと著者一同心から感謝しています。

　新版では、レイアウトを一新しました。具体的には、学習漢字を見やすくするためにフォントを大きくし、イラストレーターの酒井弘美さんにお願いしてイラストを描きかえ、米国コロンビア大学の大学院生 Thomas Gaubatz さんに英語の部分のチェックを依頼するとともに、古くなった内容の見直しも行いました。また、海外で教える先生方や本書を自習する学習者のために、練習の解答例もつけてあります。

　今後も、新版『Basic Kanji Book』が日本語の漢字学習の支援に役立つことを願ってやみません。

　2015 年 9 月

著者一同

本書の使い方

本書の内容は目次にある通りだが、各課の構成は次のようになっている。

各ユニット	内容
ユニット1	漢字の話 (漢字の成り立ち・部首・用法などその課の学習漢字に関する説明)
ユニット2	基本漢字(各課10字〜12字)　2-1. 漢字の書き方 　　2-2. 読み練習　　2-3. 書き練習
ユニット3	読み物(11課以降)
知っていますか できますか	役に立つ漢字情報やゲームなど

本書は一応各課を約60分の授業で使うようにデザインされているが、各教育機関、各学習者の実情に応じて、適宜工夫してほしい。

ユニット1

　ユニット1は、漢字の体系的学習を助けるための基本的な学習項目と思われるものを、「漢字の話」として1課分ずつの長さ(1〜2ページ程度)にまとめたものである。漢字の字源、成り立ち、部首など、いわゆる漢字というものを紹介するための説明のほかに、形容詞・動詞の送りがなのルールであるとか、動詞の用法による分類(スル動詞・移動動詞・変化動詞など)であるとか、言葉の意味による分類(位置・家族の名称・専門分野・季節・経済・地理など)や場面による分類(旅行・結婚・試験・生活など)、漢字の接辞的用法や語構成の説明など、さまざまなものが含まれている。これは、このような知識や整理法が学習者の漢字運用力の向上に有効であると考えるからである。説明は、英語(後半は、やさしい日本語)やイラストになっているので、学習者に予習として読んでこさせることができる。教師は、クラスの初めの部分でその内容について質問を受けたり、学習者と話し合ったり、簡単なクイズがついている課ではそれを使ったりして、学習者がその課で学ぼうとしていることを理解しているかどうか確認する。時間にして、10分〜20分程度(学習者が予習で十分理解できていれば、軽くふれる程度でもよい)であろうが、ここで学んだことが、後に学習者には、その課のメインテーマとして記憶に残り、その課の漢字を思い出すときの助けとなるはずなので、教師はできるだけ

おもしろく授業を進めるよう努力してほしい。

　ユニット2は、3つの部分からなっている。2-1の漢字の書き方、2-2の読み練習、2-3の書き練習である。2-1の部分には、その漢字の字体を大きく示し、その字の意味、主な音訓の読み、画数が載せてある。訓読みはひらがなで、送りがながある場合は間に「-」を入れた。音読みはカタカナで書いてある。あまり使われない読みは(　　)に入れ、初級では勉強しない読みは載せていない。その下の欄には、漢字の書き順を1画ずつ示し、また、その漢字を使った基本的な熟語の例を4語程度選んで、その読みと意味を載せた。原則として、左側に訓読み語を縦に並べ、右側に音読み語を置くが、熟語の数によってそうなっていない場合もある。熟語の読みは下のように漢字1字分ごとに「・」で区切って(　　)の中に示す。「＊」印は特殊な読み方をする熟語である。

通し番号

漢字	いみ	くんよみ	オンヨミ	（かくすう）
39 大	large great	おお-きい	ダイ タイ	（3）

一	ナ	大									

大(おお)きい＝大きな　large　　　　大学(だい・がく)　university

＊大人(おとな)　adult　　　　大切(たい・せつ)な　important

　2-2の読み練習はⅠとⅡに、2-3の書き練習の部分はⅠとⅡとⅢに分かれている。Ⅰは基礎的なやさしい練習で、Ⅱは応用練習というべきものである。読み練習に関しては、Ⅰが基本的な単語の読み、Ⅱが文の読み、というようになっている。書き練習のⅡには、まだ習っていない漢字を使った言葉も紹介されているので、難しいという印象があるかもしれないが、このセクションの主眼は、漢字をただ機械的に繰り返し書かせるのではなく、いろいろな言葉の中に使われているその字の意味を類推させながら書かせることであって、そこに紹介されている言葉を全て覚えさせることではない。このことは学習者にもよく理解させる必要がある。Ⅰのセクションには、各漢字を使った本当に基本的な語しか載せていないので、後になると、Ⅱのセクションが語彙参照用のページともなりえるのである。書き練習のⅢは、前に習った漢字語の復習

になっているだけでなく、文のどの部分が漢字で書けるかを考えさせる練習となっている。まだ習っていない漢字でも、学生が自分で調べて書いてきた場合は、積極的にほめるようにするとよい。

　さて、1課から10課までは、クラスで丁寧に漢字の書き方を指導してほしいので、2-1に20分程度、2-2と2-3のⅠの部分に合わせて20分程度をかけ、Ⅱの部分は宿題として翌日チェックする。11課以降は、2-1と2-2、2-3のⅠの部分は予習させてきて、朝提出させたものをクラスの前にチェックして返すようにする。クラスでは、間違ったところを指摘するにとどめ、2-2のⅡ（文の読み練習）やユニット3の読みものに重点を置くようにしていく。書き練習のⅡとⅢは宿題にしてもよいし、学習が遅い者には、負担を軽くするために飛ばすこともできるだろう。漢字を書くスピードは個人差が大きいし、またその必要度もまちまちであることが多いからである。

　漢字のクラスを担当する教師は、その課の漢字カードや単語カードを準備していく必要がある。フラッシュ・カードとして、手際よく読み練習をさせるために使うばかりでなく、カードの漢字を組み合わせて言葉を作る練習をしたり、部首ごとにグループ分けをする練習をしたり、時間があれば、単語カードで口頭作文の練習をするなどいろいろ工夫できる。なお、練習や宿題で漢字を書かせる時には、できれば本書に直接書きこませないで、漢字練習用のノート（小学生用の国語ノートでもよいが、ファイル・ノートやルーズリーフ・ノートが提出させる際に便利）を使わせることが望ましい。そうすれば、学生は本書を見ながら何回も繰り返し練習できるからである。

ユニット3

　11課以降にはユニット3として、読み物をつけた。はじめのうちは、語単位の読みから文単位の読みへ、さらに既習漢字を使ったやさしいストーリーの展開の読みへと、徐々につなげていくことを意図したものが主だが、後半は、できるだけタスク型の読み物を増やすように努めた。1語1語を追って全部を完全に理解しようとするのではなく、与えられたタスクを解決するのに必要な情報だけを拾って読む、あるいは全体の意味を大きくつかみながら速く読む、など本当の意味での読みの作業に近づけることにより、読解力を養成することを目指したものである。だいたい15〜20分で読み、設問をこなせることを目安に作ってある。学生が少しでも読む楽しみを味わってくれればと願って作ったものである。

　このセクションは、いわば番外編のようなものなので、毎課必ずやる必要はなく、時間に余裕のある時に使えばよい。復習の日などにすることもできるし、これを題材に会話のクラスなどに発展させる、などいろいろな使い方ができると思う。興味があれば、学生が自分で読んでいくこともできるだろう。5課ごとに、復習・整理のページが入れてあるので、知識の整理に活用してほしい。宿題として提出させてもよい。

　さて、以上は1989年当時、当センターでの75分授業(うち60分を本教材に、のこり15分を主教材の漢字の読み練習に使う)を想定して作った教案であり、初級コースでは、以下のように1日1課のペースで授業が進められていた。

　　　　1コマ目(75分)：CAIによる文型・文法チェックと漢字の読み練習
　　　　　　　　　　　　　(予習の確認および質問受付の時間)
　　　　2コマ目(75分)：口頭ドリル
　　　　3コマ目(75分)：会話練習
　　　　4コマ目(75分)：漢字練習・読解練習

　4コマ目の漢字練習・読み練習の時間は、75分全部を本書に使っているのではなく、15分程度を会話教科書に出てくる漢字語彙の読み練習に使い、残りの60分程度を本書を使った体系的な漢字練習および読解指導に当てている。このように、他の主教材との併用も可能であるから、実際のクラスの実情に合わせていろいろな使い方を工夫していただきたいと思う。

Preface

In the field of Japanese language education, memorizing kanji has largely been entrusted to the student's individual efforts. It goes without saying that a good command of kanji is necessary to read and write Japanese, and it takes time and persistence to reach the level where students can read and write kanji fluently. Until now, due to inadequacies in teaching materials, many students have understandably been discouraged by a slow and inefficient learning process. These two volumes have been designed with this in mind and aim to teach kanji both systematically and effectively.

In these texts, kanji are examined according to the following five features.

1) kanji with complicated shapes

2) kanji comprised of several components

3) kanji which both express meanings independently and play important roles in forming other words

4) the combination of kanji and hiragana or katakana in written language

5) kanji with several different readings and meanings

To deal with the areas of difficulty outlined above, it is necessary to give systematic explanations of kanji as they are presented and to set an attainable goal by selecting a minimum number of basic kanji for students to memorize.

Instead of simply instructing students to memorize kanji as they show up, these books introduce the origins of each character systematically, showing how these characters are used in combination with other kanji to form words often seen in daily life.

The expectation that students will be able to learn to read and write the basic 500 kanji by the end of this course is reflected in the following aims:

1) to give a broad explanation of what kanji are comprised of (i.e. origin, meanings of independent characters, 'ON-KUN' reading, calligraphy, radicals, etc.).

2) to help students achieve competence in reading kanji (including ability to infer the meaning of a kanji from its construction, analyzing kanji compounds to arrive at their meanings, etc.).

3) to teach effective ways of memorizing kanji so that students can make not only perceptive but also productive use of their knowledge.

The 500 basic characters for beginners have been chosen primarily on the basis of the aims described above. The following five points have also been important in the selection process.

1) Kanji that clearly represent one concept introduced in the class have been selected (e.g. pictographs, ideographs, and logograms).

2) To achieve competence in reading, verb-kanji, adjective-kanji and nominal kanji that are frequently found in texts and used in daily life have been chosen.

3) In order to teach the concept of radicals, to some extent, each kanji with a radical has been grouped with others of the same type.

4) Frequently used kanji and those characters which are highly useful in forming new words are included. (cf. *A New Dictionary of Kanji Usage* by Gakken, *Kanji Used in Recent Newspapers and Words* and *Kanji Used in 90 Recent Magazines* by the National Institute of Japanese Language)

5) Personal and place names, and kanji that are often seen in everyday life are introduced in addition to the basic 500 characters.

We must note here that these 500 characters include some kanji which are not frequently used themselves but are helpful because they work as elements of many other kanji. We also must mention that there are some explanations given in this material which in fact differ from the actual derivation of a certain kanji or radical. We have taken this liberty because we feel that these explanations will be more easily understood by students and will be effective as aids in memorizing kanji.

How to use these books

The structure of each lesson is as follows:

Unit 1	Kanji Topics
Unit 2	Basic Kanji (10 - 12 characters in each lesson) 2-1 Writing Kanji, 2-2 Reading Exercises 2-3 Writing Exercises
Unit 3	Reading Material (from Lesson 11)
Kanji in Daily life	Do you know these kanji? Can you use them?

Unit 1

"Kanji Topics" introduces you to the explanations (derivations, structures, radicals, etc.), classifications (parts of speech, meanings, situations) and structures (compounds, affixes) of kanji. Before each lesson you can pre-read this section and have some idea about the kanji you are about to study in the classroom. It is even better if you read these again after covering the characters in class.

Unit 2

Unit 2 consists of three parts: Writing Kanji, Reading Exercises and Writing Exercises.

In "Writing Kanji", each column introduces the following information about the character. (See example below.)

Inflectional words are given in their dictionary forms. However, na-adjectives are given in their noun-modifying forms as Adj-な. Parentheses indicate uncommon readings, and a hyphen (-) is used to connect the stem to its inflectional endings.

In the example usage box, respective readings are enclosed in parentheses immediately after kanji. An asterisk (*) marks a special way of reading, and a dot (.) indicates the boundaries of the kanji.

First, memorize the meanings, 'ON-KUN' readings, and usage examples. It may help you to copy the stroke order several times as you memorize. When you are ready to read those kanji, you can move on to "Reading Exercises". Exercise I contains essential readings. In Exercise II, you can practice reading kanji in sentences. It is advisable to write the readings down in a notebook and ask your teacher to check them. This will stimulate not only your aural memory but also your visual memory.

After completing "Reading Exercises", you can practice writing in "Writing Exercises". Exercise I lists only basic vocabulary that uses the kanji you have studied. Try to associate the meaning and reading with each character as you write it.

In Exercise II, you will come across characters that did not appear in Exercise I. Exercise II has been deliberately organized in this way to accustom you to the structure of kanji compounds. Here you may need your teacher's help to make sure that you are writing the kanji correctly.

In Exercise III, you will not only review the kanji vocabulary you have already learned, but also practice deciding which parts of a sentence may be written with kanji. Here you are encouraged to look up kanji for words you have not yet learned.

Unit 3

"Reading Material" starts from Lesson 11. The aim of this is to get you to read the kanji you have learned. First you will read easy paragraphs containing only learned characters. Practice reading several times until you can read correctly and answer the questions. Gradually the reading material will include more variations (tasks and games). In the later lessons, you are expected to grasp the contents faster or to extract only necessary information from complicated contexts.

The readings have been arranged so that by the end of these lessons, you will feel confident reading passages containing many kanji.

 Kanji in Daily Life ／復習 **Review**
ふくしゅう

It is not necessary to go through these sections with the same speed that other parts of the lessons require. You can take your time to read these. These can also be used as topics for classroom conversation.

After every five lessons there are review sections.

Introduction to the Japanese Writing System

There are three kinds of characters in Japanese: hiragana, katakana and kanji. Hiragana and katakana are characters that represent sounds. Kanji, however, are characters which express not only sounds but also meanings. Japanese sentences can be written either using either hiragana or katakana only, but this is not the case with kanji.

Look at the following sentences.

1) わたしはにほんじんです。

2) ワタシハニホンジンデス。

3) 私は日本人です。

The above three sentences express the same meaning: "I am Japanese," but sentences 1) and 2) are rarely used. Sentence 1) might be used in children's books and sentence 2) in a telegram. Sentence 3) is the one most commonly written in Japanese.

The kanji 私 carries not only the sound [WATASHI] but also the meaning "I". 日本人 [NI-HONJIN] is the kanji compound which means "a Japanese person". Roughly speaking, the kanji in Japanese sentences carry certain concepts and hiragana add grammatical details to the concepts. It is possible to read Japanese very quickly by picking out the kanji, thus getting the main concepts of each sentence. Of course, hiragana are also important in providing understanding of the details of the sentence.

Katakana are used to represent words of foreign origin as in the following.

4) 私はアメリカ人です。

Sentence 4) means "I am American," and the part "America" is written in katakana. Look at the following examples and notice that the original English pronunciations are partly changed since the Japanese language has a different sound system from that of English.

アイスクリーム	[AISUKURIIMU]	ice cream
ウイスキー	[UISUKII]	whisky
テレビ	[TEREBI]	television
ラジオ	[RAJIO]	radio
コンピューター	[KONPYUUTAA]	computer
フランス	[FURANSU]	France
インド	[INDO]	India
スミス	[SUMISU]	Smith

Kanji were introduced from China nearly 2000 years ago. Hiragana and katakana were made up from certain kanji in order to represent the Japanese syllabary. Hiragana were formed by simplifying

the whole shape of certain kanji, and katakana were formed from a single part of a kanji. (See be-
low)

kanji 加 [KA] / [KUWA(-ERU)] "to add"

加   力

hiragana か   katakana カ
        [KA]   [KA]

[Hiragana and original kanji]

安 あ	以 い	宇 う	衣 え	於 お
a	i	u	e	o
加 か	幾 き	久 く	計 け	己 こ
ka	ki	ku	ke	ko
左 さ	之 し	寸 す	世 せ	曽 そ
sa	shi	su	se	so
太 た	知 ち	川 つ	天 て	止 と
ta	chi	tsu	te	to
奈 な	仁 に	奴 ぬ	祢 ね	乃 の
na	ni	nu	ne	no
波 は	比 ひ	不 ふ	部 へ	保 ほ
ha	hi	fu	he	ho
末 ま	美 み	武 む	女 め	毛 も
ma	mi	mu	me	mo
也 や		由 ゆ		与 よ
ya		yu		yo
良 ら	利 り	留 る	礼 れ	呂 ろ
ra	ri	ru	re	ro
和 わ	遠 を	ん		
wa	o	n		

[Katakana and original kanji]

阿 ア a	伊 イ i	宇 ウ u	江 エ e	於 オ o
加 カ ka	幾 キ ki	久 ク ku	介 ケ ke	己 コ ko
散 サ sa	之 シ shi	須 ス su	世 セ se	曽 ソ so
多 タ ta	千 チ chi	川 ツ tsu	天 テ te	止 ト to
奈 ナ na	二 ニ ni	奴 ヌ nu	祢 ネ ne	乃 ノ no
八 ハ ha	比 ヒ hi	不 フ fu	部 ヘ he	保 ホ ho
末 マ ma	三 ミ mi	牟 ム mu	女 メ me	毛 モ mo
也 ヤ ya		由 ユ yu		与 ヨ yo
良 ラ ra	利 リ ri	流 ル ru	礼 レ re	呂 ロ ro
和 ワ wa	乎 ヲ o	ン n		

目次 （Table of Contents） Vol. 2
もくじ

第23課
だい　か

ユニット1 .... 漢字の話

趣味（Hobbies）
しゅみ

1. 写真

2. 映画

3. 音楽

4. 読書

5. スポーツ

6. 料理

あなたの趣味は何ですか。

私の趣味は	写真　読書 映画　スポーツ 音楽　料理	を	とる　する 見る　楽しむ 聞く　作る	ことです。

ユニット2 ·· 第23課の基本漢字

2-1 漢字の書き方

漢字	いみ	くんよみ	オンヨミ	（画数）

252 映 — reflect / project — うつ-る / うつ-す — エイ — （9）

筆順: 丨 冂 日 日 旦 旫 映 映

映（うつ）る to be reflected　　映画（えい・が）movie
映（うつ）す to project, to reflect　　上映（じょう・えい）する to show (a movie)

253 画 — picture / kanji strokes — ガ / カク — （8）

筆順: 一 丆 币 币 而 面 画 画

日本画（に・ほん・が）Japanese painting　　画家（が・か）painter
画面（が・めん）screen (TV/computer)　　画数（かく・すう）the No. of strokes (in a kanji)

254 写 — copy / photograph — うつ-る / うつ-す — シャ — （5）

筆順: 丨 冖 写 写 写

写（うつ）る to be photographed　　写真（しゃ・しん）photograph
写（うつ）す to copy, to take (a picture)

漢字		いみ	くんよみ	オンヨミ	（画数）

255 真

true
just

ま

シン

(10)

一 十 ⼗ 市 亩 直 真 真 真

真夜中（ま・よ・なか）the middle of the night, midnight　　真理（しん・り）truth

真（ま）っ白（しろ）pure white　　真剣（しん・けん）な serious

256 音

sound

おと

オン

(9)

丶 一 ⼟ 立 产 音 音 音

音（おと）sound, noise　　発音（はつ・おん）pronunciation

足音（あし・おと）footsteps　　音読（おん・よ）み the Chinese reading (of a kanji)

257 楽

pleasant
music

たの-しい
たの-しむ

ガク
ラク

(13)

丶 ⼗ 白 白 白 泊 泊 泊 泊 楽 楽 楽

楽（たの）しい enjoyable　　音楽（おん・がく）music

楽（たの）しむ to enjoy　　楽（らく）な easy, comfortable

258 料

materials
fee

リョウ

(10)

丶 丶 ⼟ 半 米 米 米 米 料 料

料理（りょう・り）cooking　　料金（りょう・きん）fare, charge

材料（ざい・りょう）materials　　原料（げん・りょう）raw materials

3

漢字	いみ	くんよみ	オンヨミ	(画数)

259 組 | organize assemble | く-む くみ／-ぐみ | ソ | (11)

く ㇗ 纟 糹 糸 糸 糽 紀 紻 組 組

組(く)み合(あ)わせ combination　　組(くみ) class, group, set

番組(ばん・ぐみ) (TV) program　　組織(そ・しき) organization

260 思 | think | おも-う | シ | (9)

丨 冂 田 田 田 甲 思 思 思

思(おも)う to think　　思(おも)い出(で) memories

思(おも)い出(だ)す to remember, to recall　　思考力(し・こう・りょく) thinking ability

261 色 | color | いろ | ショク | (6)

丿 ㇇ 夕 名 多 色

色(いろ) color　　原色(げん・しょく) primary colors

水色(みず・いろ) light blue　　特色(とく・しょく) characteristic

262 白 | white | しろ しろ-い | ハク | (5)

丿 亻 冂 白 白

白(しろ) white　　白鳥(はく・ちょう) swan

白(しろ)い white　　白紙(はく・し) blank paper

漢字	いみ	くんよみ	オンヨミ	（画数）

263 黒　black　　くろ　　くろ-い　　コク　　（11）

一 口 口 日 甲 甲 里 里 黒 黒 黒

黒（くろ）black　　　　　黒字（くろ・じ）surplus

黒（くろ）い black　　　　黒板（こく・ばん）blackboard

264 赤　red　　あか　　あか-い　　セキ　　（7）

一 十 土 ナ 方 赤 赤

赤（あか）い red　　　　　赤字（あか・じ）deficit

赤（あか）ちゃん baby　　　赤道（せき・どう）the equator

2-2 読み練習

Ⅰ．つぎの漢字の読み方をひらがなで書きなさい。

1. 思う　　2. 楽しむ　　3. 楽な　　4. 楽しい　　5. 白い

6. 赤い　　7. 黒い　　8. 音　　9. 色　　10. 写真　　11. 画家

12. 映画音楽　　13. 料金　　14. 赤ちゃん

Ⅱ．つぎの文を読んでみましょう。

1. テレビの画面に赤道の近くの国が映っている。
　　　　　めん

2. この料理の特色はいろいろな材料が入っていることです。
　　　　　　とく　　　　　　　　ざい

3. 先生が黒板に字を書いて、学生は発音の練習をします。
_{ばん} _{はつ}

4. 中国料理と日本料理とフランス料理の中で、何が一番好きですか。

5. 真夜中にテレビで音楽番組や外国映画をよく見ます。

6. 彼女は色が白く、黒くて長いかみがきれいです。

7. この字は画数が 13 画で、くん読みが「たのしい」、音読みが

「ガク」と「ラク」です。

8. 電気料金もガス料金も高くなったから、今月も赤字だ。

9. ふゆに白い雪の中でスキーをしたことは、楽しい思い出です。

2-3 **書き練習**

Ⅰ．つぎの□に適当な漢字を書きなさい。
_{てきとう}

1. movie

えい　　が

2. to cook

する

りょう　り

3. photograph

しゃ　しん

4. music

おん　がく

5. sound

おと

6. enjoyable

しい

たの

7. comfortable

な

らく

8. (TV) program

ばん　ぐみ

9. to think

う

おも

10. memories

おも で

11. color

いろ

12. white snow

しろ ゆき

13. a black cloud

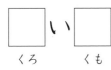
くろ くも

14. a red flower

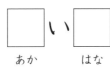
あか はな

II. ことばの意味をかんがえて、適当な漢字を書いてみましょう。

1. black and white

しろ くろ

2. baby

あか

3. fare

りょう きん

4. photographer
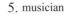
しゃ しん か

5. musician

おん がく か

6. painter

が か

III. つぎの文を習った漢字を使って書きましょう。

例. まよなかにともだちからでんわがかかってきた。

　→　真夜中に友だちから電話がかかってきた。

1.「にちようび」の「よう」というじは、かくすうがおおくて、むずかしい。

2. ふるいしろくろのえいがをおもいだした。

3. ともだちといっしょにりょうりをつくるのはたのしい。

4. となりのテレビのおとがおおきいので、おんがくがよくきこえない。

ユニット３ ·············· 読み物

＜プロポーズ (A Proposal of Marriage)＞

　今日は真理子さんとデートだ。６時におきた。いつもより１時間も早い。ひげをそって、くつをみがいてから、家を出た。

　９時に真理子さんの家に着いた。ドアが開いて、真理子さんが出てきた。白いワンピースがとてもきれいだ。はじめに映画を見に行った。日曜日の映画館は、かなりこんでいた。映画はおもしろかった。

　映画の後、フランス料理のレストランへ行った。レストランは少し暗くて、かべには古い写真があり、静かな音楽が聞こえる。とてもいいムードだ。料理もおいしい。ワインを飲んで、真理子さんのほおは少し赤い。ぼくは目をつぶった。そして、思い切って真理子さんに言った。「真理子さん、ぼ、ぼ、ぼくとけっこんしてください！」

　その時、ベルの音が聞こえた。目を開けると、ぼくはベッドの上にいた。

＊デート　date	ひげをそる　to shave (oneself)	みがく　to polish
ワンピース　one-piece dress	こんでいる　to be crowded	かべ　wall
ムード　mood	ワイン　wine	ほお　cheek
目をつぶる　to shut one's eyes	思い切って〜　to find the courage to do〜	
ベル　bell	ベッド　bed	

［質問］

　1. この人はいつも何時におきるのですか。

　2. この人は真理子さんの家に行く前に、何をしましたか。

　3. 真理子さんは何色のワンピースを着ていましたか。

　4. 二人はどんなレストランへ行きましたか。

　5. この人は真理子さんとけっこんできると思いますか。

知っていますか できますか

＜新聞のテレビ番組表 (TV Programming Guide)＞
ばんぐみひょう

【第三種郵便物認可】　　　　　　　　E

❶ NHKテレビ	❷ NHK Eテレ		❹ 日本テレビ
☎0570-066066	☎0570-066066		☎03(6215)4444
00字N◇10字首都圏ネット 事件ファイル・見分け つかない偽ブランド品 選挙戦リポ神奈川栃木	00字おじゃる丸◇10字忍たま 20双天てれ　珍妙ハイテク 発明対決◇45くつだる	6	3.50字Nevery. 消えた所有者を探せ！ 高級外車を放置4年間 重なる謎と解けぬ謎ほか
00二字ニュース7 ノーベル賞授賞式直前 ▽LED研究新段階へ	55　Rの法則　簡単お手軽 手作りアクセ▽100均 アイテムで安く早く！	7	00字トリックハンター 使える楽ヤセ術3連発 食べて45㌔減㊙有名人 白米アレに替え33㌔減 ボビー豪邸㊙お宝調査
30字クローズアップ現代 本を読まない人が急増 日本人に異変が？◇天	7.25二字超能力ファミリー サンダーマン　パパと ママの記念日に大事件 50字ガールズ◇55育児		56字笑ってコラえて「熱い 人たち発見SP」酒豪 鈴木砂羽がハシゴ旅に 早朝の中野で走る！▽ 日本の競馬を変えた男 ダービーの決断と武豊
00解字デためしてガッテン 便もれ500万人の衝撃 まさか私が予備軍SP 30代で急増▽肛門力が 若返る新ワザ▽特効薬 45字首都圏ニュース845	00解字ハートネットTV NHK障害福祉賞①障 害者だから出来ること 30解字健康　がんリハビリ チームが合併症を防ぐ 45字手話ニュース845	8	8.54岩さんと、たもつ
00二字ニュースウオッチ9 子どもたち驚異の才能 伸ばすプロジェクト▽ 第4の産業革命到来？ ▽マララさん授賞式へ ▽衆院選党首の戦い②	00字きょうの料理　なます マリネ・ローストビー フ・雑煮▽栗原はるみ 30解字趣味・お寺のごはん 煮物▽京都・了徳寺の 大根だき◇55字まる得	9	00字ザ！世界仰天ニュース "実は字が読めない… 書けない"衝撃告白の 有名人…脳の不思議と 読めるフリ続けた日々 54字心に刻む風景
00字撃墜3人のパイロット 前編　命を奪い合った 日米中の若者のドラマ 戦争が奪った人生と絆 勝地涼　徳永えり◇N 55字衆議院比例代表選出議 員選挙政見放送 「東京都選挙区」	00スーパープレゼン選 スーパーモデルの告白 "美しさ"の表と裏 25　フランス語　真飛聖 大統領ケーキ▽リヨン 50　しごとの基礎英語	10	00字デきょうは会社休みま す。「別れの温泉卓球 奇跡のプロポーズ！」 綾瀬はるか　福士蒼汰 仲里依紗　田口淳之介 高畑淳子　玉木宏ほか
11.25スポプラ　青木第三夜 ここまで来た競泳水着 35　NEWS　WEB 0.05時論　震災復興と選挙 0.15クローズアップ現代(再) 0.41SS字Nスペ(再) 緑の魔境の珍獣珍虫！ 福山雅治が中米を行く	00解字100分de名著・ ハムレット　名セリフ に秘められた謎を解く 25字オイコノミア　幸せな おひとりさまの経済学 声優朴璐美◇ガッ活！ 55　Eテレ2355	11 深夜	00字NZERO　栄誉直前 ノーベル賞3氏の表情 ▽カニの値段上がる？ 0.09ナカイ窓　ブサイク軍 美容院で合コンで…涙 熱愛小峠vs.新兵器ハラ
1.30字アスリートの魂・選 ラフティング女子の絆 2.15地球イチバン(再)◇映像 4.20　視点　石川芳治	0.00字亀田音楽専門学校(再) 三連リズムの秘密に迫 る▽ゆず名曲を生演奏 0.45使える！伝わる日本語 1.00ロシア語(再)　美しい大 通りを散策（1.27終） 5.30　テレビでアラビア語		1.04箱根駅伝の刻　国学大 1.09なら婚　覆面レスラー レスラー夫婦に父驚き 1.44デ寄生獣　セイの格率 2.14浜ちゃんが　美女SP 2.44SS読響　アルペン全曲 3.44手越のCWC（4.00） 4.00デOha4N天ライブ

（2014年12月10日付　日本経済新聞夕刊）

いろいろな記号

Ⓝ　ニュース news

㊉　天気予報(てんきよほう) weather forecast

㊐　再放送(さいほうそう) rebroadcast

⃞　二か国語(にかこくご) bilingual broadcast

SS　サラウンドステレオ stereo sound

字　文字放送(もじほうそう) closed captioning

手　手話放送(しゅわほうそう) sign language

解　解説放送(かいせつほうそう) video description (audio service for the visually impaired , provides verbal description of visual action)

デ　番組連動型(ばんぐみれんどうがた)データ放送(ほうそう) broadcast linked system

双　双方向番組(そうほうこうばんぐみ) interactive television (programming incorporating viewer responses in real time)

[質問]

1. 一番早い朝のニュースは何時からですか。

2. 一番遅い夜の英語のニュースは、いつどのチャンネルで聞けますか。

3. 料理の番組はありますか。

4. 音楽の番組はありますか。

5. どんな外国語学習の番組がありますか。

6. この中であなたはどの番組を見てみたいですか。

書いてみよう　あなたの国のテレビには、チャンネルがいくつありますか。あなたの国の番組について説明してください。

第 24 課
だい　か

動詞の漢字 -4- 反対の動作 （Verbs -4- Opposite Actions）
どうし　　　　　はんたい　どうさ

これは、この課で勉強する動詞の漢字です。
か　　　　　　　　　どうし

起 寝 遊 立 座 使 始 終 貸 借 返 送

これをいくつか反対の動作に分けてみましょう。

_____ に適当な（appropriate）ひらがなを書きなさい。
てきとう

1. 赤ちゃんが 寝_____　　⇔　　2. 赤ちゃんが 起_____

3. 男の人の近くに 立_____　　⇔　　4. 女の人のとなりに 座_____

5. 男の子が 遊_____　　⇔　　6. 男の子が 働_____

11

7. 映画が 始_____   ⇔   8. 映画が 終_____

9. 図書館に本を 返_____

10. 学生に本を 貸_____   11. 学生が本を 借_____

自動詞と他動詞（Intransitive Verbs and Transitive Verbs）
じ どう し　　た どう し

<～が　Vi>	<～が　～を　Vt>
起きる／起こる (to get up, to happen)	起こす (to wake, to cause)
立つ (to stand, to stand up)	立てる (to set up)
曲がる (to curve, to be bent)	曲げる (to bend)
始まる (to begin)	始める (to begin something)
終わる (to finish)	終える (to finish something)

2-1 漢字の書き方 ・・・

漢字	いみ	くんよみ	オンヨミ	（画数）

265

起 | rise
happen | お-きる　　お-こる
お-こす | キ | （10）

一 十 土 キ キ 走 走 起 起 起

起 (お) きる to get up, to happen　　　　起 (お) こる to happen

起 (お) こす to cause, to wake up　　　　起立 (き・りつ) する to stand up

266

寝 | sleep | ね-る
ね-かす | シン | （13）

丶 宀 宀 宀 疒 疒 疒 寝 寝 寝 寝

寝 (ね) る to sleep　　　　寝室 (しん・しつ) bedroom

寝 (ね) かす to put (someone) to bed　　　　寝台車 (しん・だい・しゃ) sleeping car

267

遊 | play
amuse | あそ-ぶ | ユウ | （12）

丶 亠 方 方 方 扩 扩 斿 游 遊 遊

遊 (あそ) ぶ to play　　　　遊園地 (ゆう・えん・ち) amusement park

遊 (あそ) び play

漢字		いみ	くんよみ		オンヨミ	（画数）

268 立
stand
establish

た-つ／たち-
た-てる
リツ
(5)

丶 一 十 立 立

立（た）つ to stand, to stand up　　国立（こく・りつ）national

立場（たち・ば）position　　私立（し・りつ）private

269 座
seat
sit

すわ-る
ザ
(10)

丶 一 广 广 庀 庆 庅 座 座

座（すわ）る to sit　　座席（ざ・せき）seat

正座（せい・ざ）する to sit up straight; to sit in the formal Japanese style

270 使
use

つか-う
シ
(8)

丿 亻 仁 仁 仨 信 使 使

使（つか）う to use, to employ　　使用（し・よう）する to use

使（つか）い方（かた）how to use　　大使（たい・し）ambassador

271 始
begin
start

はじ-まる
はじ-める
シ
(8)

く 女 女 如 如 始 始 始

始（はじ）まる to begin, to start　　開始（かい・し）する to begin

始（はじ）める to begin (something)　　始発（し・はつ）the first train/bus

漢字	いみ	くんよみ	オンヨミ	(画数)

272 終
end
finish
お-わる
お-える
シュウ
(11)

く　幺　幺　糸　糸　糸　紗　紗　終　終　終

終(お)わる to end, to finish
終(お)える to finish (something)
終電(しゅう・でん) the last train
終点(しゅう・てん) the last station/stop

273 貸
lend
rent
か-す
(タイ)
(12)

ノ　イ　イ　代　代　代　代　貸　貸　貸　貸

貸(か)す to lend, to rent
貸(か)し出(だ)し lending
賃貸(ちん・たい)マンション rental apartment

274 借
borrow
rent
か-りる
シャク／
シャッ-
(10)

ノ　イ　イ　什　供　供　供　借　借　借

借(か)りる to borrow, to rent
借金(しゃっ・きん) debt
借用書(しゃく・よう・しょ) IOU (I owe you)

275 返
return
かえ-る
かえ-す
ヘン
(7)

一　厂　反　反　返　返　返

返(かえ)す to return
返事(へん・じ) reply
返信(へん・しん)する to reply (by letter/email)
返済(へん・さい)する to pay back

漢字		いみ	くんよみ		オンヨミ	（画数）
276	送	send	おく-る		ソウ	(9)

丶 ソ ソ ニ 关 关 关 送 送

送（おく）る to send　　送別会（そう・べつ・かい）farewell party

見送（み・おく）る to see off　　送料（そう・りょう）postage

2-2 読み練習

Ⅰ．つぎの漢字の読み方をひらがなで書きなさい。

1. 起きる　2. 寝る　3. 立つ　4. 座る　5. 始まる

6. 終わる　7. 借りる　8. 貸す　9. 返す　10. 使う

11. 遊ぶ　12. 送る　13. 寝室　14. 国立大学　15. 貸し出し

Ⅱ．つぎの文を読んでみましょう。

1. このコンピューターの使い方を教えてください。

2. 市立図書館の本の貸し出しは二週間だけです。

3. 先週の送別会の帰りに友だちにかさを借りましたが、今日

返しました。

4. お母さんは子どもを毎晩8時に寝かして、朝6時に起こします。

5. この映画は午前 11 時に始まって午後1時半に終わる。

6. 彼は今寝室で寝ていますから、一時間後に起こしてください。

7. 座席がなくて座れませんでしたから、立って映画を見ました。
せき

2-3 書き練習 ⋯⋯⋯⋯⋯⋯⋯⋯⋯⋯⋯⋯⋯⋯⋯⋯⋯⋯⋯⋯⋯⋯⋯⋯⋯⋯⋯⋯⋯⋯⋯

Ⅰ．つぎの□に適当な漢字を書きなさい。
てきとう

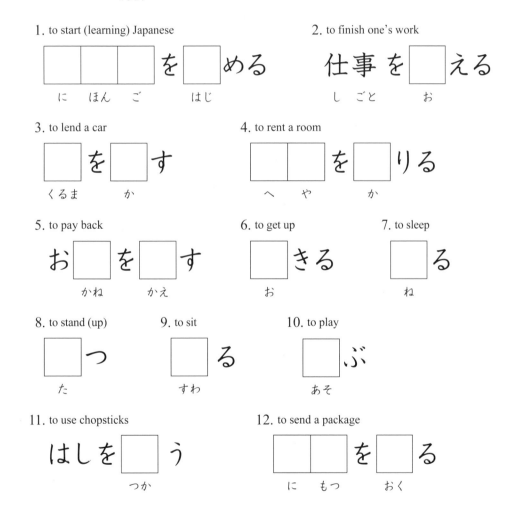

1. to start (learning) Japanese

□□□ を □ める
に ほん ご　　　はじ

2. to finish one's work

仕事 を □ える
し ごと　　　お

3. to lend a car

□ を □ す
くるま　　か

4. to rent a room

□□ を □ りる
へ や　　　か

5. to pay back

お □ を □ す
かね　　かえ

6. to get up

□ きる
お

7. to sleep

□ る
ね

8. to stand (up)

□ つ
た

9. to sit

□ る
すわ

10. to play

□ ぶ
あそ

11. to use chopsticks

はし を □ う
つか

12. to send a package

□□ を □ る
に もつ　　おく

Ⅱ. ことばの意味をかんがえて、適当な漢字を書いてみましょう。
いみ　　　　　　　　　てきとう

1. the last train
□□
しゅう　でん

2. sleeping car
□台□
しん　だい　しゃ

3. seat
□席
ざ　せき

4. reply
□事
へん　じ

5. national university
□□□□
こく　りつ　だい　がく

6. lending
□し□し
か　　　だ

7. to see off
□□る
み　おく

8. opening ceremony
□業式
し　ぎょうしき

9. closing ceremony
□業式
しゅう　ぎょうしき

10. embassy
□□□
たい　し　かん

Ⅲ. つぎの文を習った漢字を使って書きましょう。

例. とうきょうえきまでおきゃくをみおくった。

　→　東京駅までお客を見送った。

1. おんがくかいのかいしじかんは、ごごしちじです。

2. こどもとゆうえんちにいって、ジェットコースターにのってあそんだ。

3. べいこくのたいしとけいざいのもんだいについてはなしあった。

4. しゃっきんをかえすために、あさおきてからよるねるまではたらいて

います。

ユニット3 ・・ 読み物

＜一日の生活＞
せいかつ

[問題] つぎのインタビューを読んで、下の表（chart）に男の人の起きる時間、
ひょう
会社が始まる時間、終わる時間、帰宅時間、寝る時間などを書きいれ、
ほかにすることも書きなさい。

6	7	8	9	10	11	12	1	2	3	4	5	6	7	8	9	10	11	12

起きる

【イ：インタビュアー　男：男の人】

イ：あのう、ちょっとお時間を
　　いただけますか。

男：はい。何でしょう。

イ：あなたの一日の生活について、
　　いくつか質問に答えていただき
　　たいんですが……。

男：はあ。

イ：ええと、毎朝何時に起きますか。

男：そうですね。7時ごろかな。

イ：朝食は。

男：ほとんど食べないんです。

イ：はあ、そうですか。お仕事は
　　何時に始まるんですか。

男：ええと、9時です。

イ：じゃあ、お宅を出るのは。

男：7時40分ごろ。

イ：で、お仕事は何時ごろ終わり
　　ますか。

男：5時ですけど、やっぱり会社を
　　出るのは6時ごろになりますね。

イ：すると、家に着くのは7時半
　　ごろですか。

男：いえ、外で夕食を食べて帰る
　　から、たいてい9時すぎになっ
　　ちゃうんです。

イ：帰宅してから寝るまでの時間
　　はどんなことをしていますか。

男：そうですね、テレビを見たり
　　本を読んだりですね。

イ：で、何時ごろ寝ますか。

男：たいてい11時ごろですね。

イ：休みの日にはどこかへ遊びに
　　行ったりしますか。

男：いえ、お金もないし、恋人もいない
　　し、家でごろごろしています。

イ：どうもありがとうございました。

＊仕事 job
　しごと
　恋人 lover
　こいびと
　ごろごろする to idle one's time away

知っていますか　できますか

＜**予定表** (Schedule Sheet)＞
よていひょう

2月　Feb.	
14 日 SUN	8 9 10 11 12 1 ②2 3 4 5 6 7 8 9 10 11 12時 2:00 新宿 待ち合わせ 山口くんと映画
15 月 MON	8 9 10 11 12 1 2 3 4 5 6 7 8 9 10 11 12時 英語　　　政治学研究会　　☆前田さんに本を借りる
16 火 TUE	8 9 10 11 12 1 2 3 4 5 6 7 8 9 10 11 12時 政治学　　英語
17 水 WED	8 9 10 11 12 1 2 3 ⑥6 7 8 9 10 11 12時 政治史　英語テスト　　6:00 テニス部練習
18 木 THU	8 9 10 11 12 1 2 3 4 5 6 7 8 9 10 11 12時 経済　　　教育
19 金 FRI	8 9 10 11 12 1 2 3 4 5 6 7 8 9 10 11 12時 図書館　☆政治学のレポート提出!!　☆本返却
20 土 SAT	⑨9 10 11 12 1 2 3 4 5 6 7 8 9 10 11 12時 9:00～ テニス部合宿開始　　☆2/28 終了

待ち合わせ appointment
ま あ

提出＝出すこと submission
ていしゅつ

返却＝返すこと return
へんきゃく

合宿 training camp
がっしゅく

開始＝始めること beginning
かい し

終了＝終わること finish
しゅうりょう

第25課
だい か

日本の結婚式 （Japanese Wedding Ceremonies） ‥‥‥‥‥‥‥‥‥‥
けっこんしき

［和式 (Japanese-style)］　　　　　　　　　［洋式 (Western-style)］
わ しき　　　　　　　　　　　　　　　　　よう しき

新郎 groom　　新婦 bride　　　　　　　新郎 groom　　新婦 bride
しんろう　　　しん ぷ　　　　　　　　　しんろう　　　しん ぷ

結婚までの予定 （the schedule up to the wedding）
よ てい

［見合い結婚 (arranged marriage)］　　　　［恋愛結婚 (love marriage)］
み あ　　　　　　　　　　　　　　　　れんあい

見合い miai　　　　　　　　　　　　恋愛 love

婚約 engagement

結納 engagement gifts
ゆいのう

婚約指輪 engagement ring
ゆび わ

結婚式 wedding ceremony

「和（ワ）」 means "Japanese".

和式（わ・しき）	Japanese-style
和服（わ・ふく）	Japanese-style clothes ＝着物
和室（わ・しつ）	Japanese-style room
和書（わ・しょ）	Japanese books
和食（わ・しょく）	Japanese food
和菓子（わ・がし）	Japanese sweets
和歌（わ・か）	Japanese poetry with 5-7-5-7-7 syllables

「洋（ヨウ）」 means "Western".

洋式（よう・しき）	Western-style
洋服（よう・ふく）	Western-style clothes
洋室（よう・しつ）	Western-style room
洋書（よう・しょ）	Western books
洋食（よう・しょく）	Western food
洋菓子（よう・がし）	Western-style sweets
洋酒（よう・しゅ）	Western liquors ⇔ 日本酒（にほん・しゅ） Japanese liquors
洋画（よう・が）	Western film ⇔ 邦画（ほう・が） Japanese film

お祝い （monetary gift）
いわ

A special envelope with ceremonial red and white cords is used to make a monetary gift. You write 「御祝 (a gift)」 or 「寿 (felicitations)」 and your name on the envelope.
おいわい　　　　　　　　ことぶき

You may use an envelope with gold or silver cords, but the left edge of the envelope must always be red. You should not use a similar kind of envelope which has a green or gray edge, as this is used to make an offering of money to departed spirits. People write 「御霊前 (to spirit of the departed)」 on the envelope and offer it at funerals.
ご れいぜん

ユニット2 ・・・・・・・・・・・・・・・・・・・・・・・ 第25課の基本漢字

2-1 漢字の書き方

漢字	いみ	くんよみ	オンヨミ	（画数）

277 結 connect / conclude — むす-ぶ — ケツ／ケッ- （12）

く 幺 幺 糸 糸 糸 糸一 糸一 糸土 糸吉 結 結

結（むす）ぶ to tie, to connect 　　結婚（けっ・こん）marriage
結論（けつ・ろん）conclusion 　　結果（けっ・か）result

278 婚 marry — コン （11）

く 女 女 女' 妌 妌 妌 妌 婚 婚

結婚（けっ・こん）する to get married 　　婚約（こん・やく）する to get engaged
新婚旅行（しん・こん・りょ・こう）honeymoon

279 離 separate — はな-れる／はな-す — リ （19）

' 亠 ナ 文 区 卤 卤 离 离 离 离 离 离
离 离 离 離 離

離（はな）れる to separate, to leave 　　離婚（リ・こん）する to divorce
離（はな）す to part 　　別離（べつ・リ）separation

漢字		いみ	くんよみ	オンヨミ	（画数）

280 席 — seat — セキ （10）

一 广 广 产 庐 庐 庐 庐 席 席

席（せき）seat 指定席（し・てい・せき）reserved seat
出席（しゅっ・せき）する to attend 座席（ざ・せき）seat

281 欠 — defect / lack — か-ける / か-く — ケツ／ケッ- （4）

ノ ト ケ 欠

欠（か）ける to lack 欠点（けっ・てん）fault
欠席（けっ・せき）する to be absent

282 予 — previous — ヨ （4）

フ マ ヌ 予

予定（よ・てい）schedule, plan 予習（よ・しゅう）する to prepare (for class)
天気予報（てん・き・よ・ほう）weather forecast 予約（よ・やく）する to reserve

283 定 — fix / settle — さだ-まる / さだ-める — テイ （8）

丶 宀 宀 宀 宁 宇 定 定

定（さだ）める to decide 定食（てい・しょく）set meal
定員（てい・いん）capacity, quota 定期（てい・き）commuter pass

漢字	いみ	くんよみ	オンヨミ	(画数)

284 洋 — ocean, Western — ヨウ (9)

丶 氵 氵 沪 沪 沪 洋 洋 洋

西洋（せい・よう）the West   東洋（とう・よう）the East
洋服（よう・ふく）Western-style clothes   洋食（よう・しょく）Western food

285 式 — ceremony, form — シキ (6)

一 一 テ 于 式 式

式（しき）ceremony, formula   結婚式（けっ・こん・しき）wedding ceremony
方式（ほう・しき）form, system   正式（せい・しき）な formal, official

286 和 — peace, sum, Japanese — ワ (8)

丿 二 千 禾 禾 和 和 和

平和（へい・わ）peace   和食（わ・しょく）Japanese food
和（わ）harmony, the sum   和服（わ・ふく）kimono, Japanese-style clothes

287 活 — vivid, vigor — カツ／カッ- (9)

丶 氵 氵 汁 汁 汗 汗 活 活

生活（せい・かつ）life, living   活発（かっ・ぱつ）な active
活字（かつ・じ）movable type, printed matter   活動（かつ・どう）activity

2-2 読み練習 ．．．

Ⅰ．つぎの漢字の読み方をひらがなで書きなさい。

1. 結婚式　　2. 出席する　　3. 欠席する　　4. 和式　　5. 洋式

6. 予定　　7. 新婚生活　　8. 離婚する　　9. 定食

10. 西洋料理

Ⅱ．つぎの文を読んでみましょう。

1. 兄は２月に婚約して、５月に結婚する。

2. 姉は一年前に離婚した。

3. 10月11日に友だちの結婚式に出席する。

4. 土曜日は予定があったから、パーティーを欠席した。

5. 天気予報を見てから、公園へ行った。
　　てん　　ほう

6. お昼は洋食にしますか、和食にしますか。

7. 焼き魚定食にします。 I'll have a grilled fish set.
　や

8. 私は今、父や母と離れて生活しています。 I live away from my father and mother.

2-3 書き練習 ....

I．つぎの□に適当な漢字を書きなさい。
てきとう

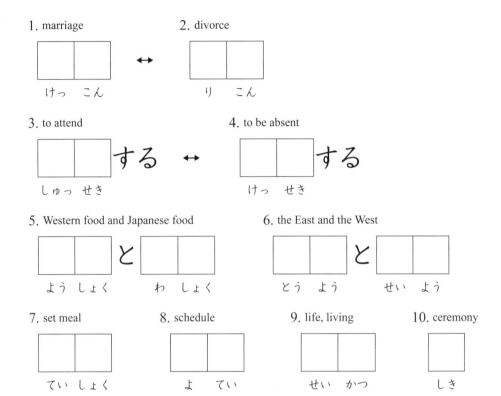

1. marriage

けっ　こん

↔

2. divorce

り　こん

3. to attend

しゅっ　せき

する　↔

4. to be absent

けっ　せき

する

5. Western food and Japanese food

よう　しょく　と　わ　しょく

6. the East and the West

とう　よう　と　せい　よう

7. set meal

てい　しょく

8. schedule

よ　てい

9. life, living

せい　かつ

10. ceremony

しき

II．ことばの意味をかんがえて、適当な漢字を書いてみましょう。
い　み　　　　　　　　　　　　てきとう

1. to tie a string

ひもを□ぶ
むす

2. to leave the country

□を□れる
くに　はな

3. activity

かつ　どう

4. Western books

よう　しょ

5. Western liquor

よう　しゅ

6. Western-style

よう　しき

7. Japanese-style
□□
わ　しき

8. Japanese books
□□
わ　しょ

9. formal
正□な
せい　しき

10. conclusion
□論
けつ　ろん

11. result
□果
けっ　か

12. engagement
□約
こん　やく

13. honeymoon
□□旅行
しん　こん　りょ　こう

14. capacity
□員
てい　いん

15. reserved seat
指□□
し　てい　せき

16. to reserve
□約する
よ　やく

Ⅲ．つぎの文を習った漢字を使って書きましょう。

例．しんぶんは、かつじがちいさくて、よみにくい。

　　→　新聞は、活字が小さくて、読みにくい。

1. こどものがっこうのにゅうがくしきにしゅっせきする。

2. おたくのおてあらいは、ようしきですか、わしきですか。

3. らいねんけっこんするよていです。

4. せんげつせいしきにりこんして、あたらしいせいかつをはじめた。

5. べんきょうばかりではなく、クラブかつどうもよくやっている。

ユニット3 ·································· 読み物

<手紙>
（てがみ）

リー・トンプソン様

前略　お元気ですか。バンコクでのお仕事と比べて、筑波大学での
新しいお仕事はいかがですか。私は、入社３年目で４月に本社から
新宿の支社に移り、帰りが前よりもっと遅くなりました。結婚式の
準備もまだまだです。

　来月の結婚式は、教会でする予定です。そしてその後、近くの
イタリアンレストランでパーティーをします。おいしいワインを
たくさん出そうと思っています。出席者は、リーさんも入れて50人
ぐらいになるでしょう。ニナさんやリンくんも来てくれますよ。

　そこでお願いなのですが、パーティーで、友人としてスピーチを
していただけませんか。大学のボランティアグループでの話でもいい
ですし、夏にみんなと行ったキャンプの話でもいいです。楽しい話を
お願いします。

　それでは、お返事をお待ちしています。

草々

2015年6月9日

前田洋子

*前略　the usual first form of address in a Japanese letter, like 'Dear Sir' in English
（ぜんりゃく）

筑波大学　University of Tsukuba　　　比べる　to compare　　　本社　the main/head office
（つくばだいがく）　　　　　　　　　　　（くら）　　　　　　　　　　　（ほんしゃ）

支社　branch office　　　　　　　移る　to move, to transfer　　準備　preparation
（ししゃ）　　　　　　　　　　　（うつ）　　　　　　　　　　　　（じゅんび）

返事　reply　　　　　　　　　　お願いする　to wish, to request
（へんじ）　　　　　　　　　　（ねが）

草々　common way of ending a Japanese letter, like 'Sincerely yours' in English
（そうそう）

[質問]

1. この手紙は、だれがだれに書きましたか。
（てがみ）

2. 洋子さんはどうして帰りが前より遅くなりましたか。

3. パーティーでは何がたくさん出る予定ですか。

4. 洋子さんはリーさんに何をお願いしましたか。

(書いてみよう) あなたも友だちに手紙で何かお願いしてみましょう。

手紙の書き方

①手紙を始めることば：「拝啓」「前略」など
　　　　　　　　　　　はいけい　ぜんりゃく

②季節のあいさつ：　　「さくらの花もさきはじめました。」
　きせつ
　　　　　　　　　　　「さむい日がつづきますが、」など

③相手の様子を聞く：　「お元気ですか。」
　あいて
　　　　　　　　　　　「おかわりありませんか。」

　　　　　　　　　　　「いかがおすごしですか。」など

④こちらの様子を書く：「私も元気でがんばっています。」

　　　　　　　　　　　「少しかぜをひきましたが、もうだいじょうぶです。」など

⑤本文：　　　　　　　「さて」「ところで」など

　　　　　　　　　　　「さて」「ところで」などで始めて、おしらせ(news)、質問(question)、
　　　　　　　　　　　おねがい(request)、おれい(thanks)、おわび(apology)、
　　　　　　　　　　　しょうたい(invitation)などを書く。

⑥終わりのあいさつ：　「返事を待っています。」
　　　　　　　　　　　へんじ
　　　　　　　　　　　「では、お体を大切にしてください。」

　　　　　　　　　　　「お目にかかるのを楽しみにしています。」

　　　　　　　　　　　「さようなら」など

⑦手紙を終わることば：「敬具」「草々」「かしこ」など
　　　　　　　　　　　けいぐ　そうそう

「前略」で始めるときは、②③④を省略できる。
　ぜんりゃく　　　　　　　　　　しょうりゃく

復習
ふく　しゅう

Review Lesson 21-25

N： 政治　経済　歴史　(教)育　(体)育　(文)化

化(学)　(物)理　科(学)　数(学)　医(学)

問題　宿題　色　映画　写真　音楽

料理　(番)組　洋式　和式　(生)活

A： 白い　黒い　赤い

V： 起きる　寝る　遊ぶ　立つ　座る　使う

始まる　終わる　貸す　借りる　返す

送る　答える　思う

VN：練習する　勉強する　研究する　留(学)する

質問する　結婚する　離婚する　予定する

(出)席する　欠席する　　　　　　　　(60字)

語構成 2 (Word Structure 2)
ご こうせい

Ⅰ. つぎのことばを意味のある単位 (meaningful units) に分けなさい。
　　　　　　　　　い み　　　　たん い

Ex. 図書館　→　図書　／　館
　　　　　　　　books　building　=　library

1. 映　画　館　　　　→
2. 写　真　屋　　　　→
3. 高　校　生　　　　→
4. 音　楽　家　　　　→
5. 結　婚　式　場　　→
6. 私　立　大　学　　→
7. 政　治　学　部　　→
8. 研　究　所　長　　→
9. 新　婚　生　活　　→
10. 新　経　済　問　題　→
11. 英　国　大　使　館　→
12. 教　育　問　題　研　究　会　→

Ⅱ. れいのように答えなさい。

Ex. 古 新 聞　=　　古（　い　）新聞
　　有名大学　=　有名（　な　）大学
　　国立病院　=　国立（　の　）病院
　　練習問題　=　練習（ する ）問題
　　歴史研究　=　歴史（　の　）研究／歴史（　を　）研究(すること)
　　大学入学　=　大学（　に　）入学(すること)

1. 鉄 道 会 社　　=
2. 工 場 見 学　　=
3. 新 住 所　　=

4. 買物上手　＝

5. 長電話　＝

6. 電車通学　＝

7. 予定時間　＝

8. 十時開店　＝

9. 勉強部屋　＝

10. 米国留学　＝

11. 白黒写真　＝

12. 大問題　＝

Ⅲ. つぎの漢字を動詞 (verbs) として使うとき、「～が」をとるか、「～を」を
とるか、そのほかの助詞 (particles) をとるか、考えてみましょう。
下の文の（　　）にその動詞をてきとうな形 (form) にして、入れなさい。

> 送　返　起　座　育　寝　習　思　借　終
> 始　立　貸　治　数　答　離　欠　定　結

Ex. 若い研究者を（　育てる　）のはたいへんだ。

1. 子どもが家の前に（　　　　　）いた。

2. バスの中では、いつも出口の近くの席に（　　　　　）。

3. 毎日、夜11時に（　　　　　）、朝6時に（　　　　　）。

4. クッキーのはこに赤いリボンを（　　　　　）、友だちにプレゼントした。

5. この国は、一年中暖かいので、木や草がよく（　　　　　）。

6. 漢字をたくさん（　　　　　）のに、もうわすれてしまった。

7. かぞくと（　　　　　）生活するのは、さびしいと（　　　　　）。

8. あたまが痛かったが、薬を飲んだので、すぐに（　　　　　）だろう。

9. さいふをわすれてきたので、バス代を（　　　　　）くれませんか。

10. 図書館で（　　　　　）本を２週間後に（　　　　　）。

11. 田中先生のお話は、１時に（　　　　　）予定です。

12. 話が（　　　　　）後で、先生は学生の質問に（　　　　　）。

13. クラスに学生が何人いるか、（　　　　　）ください。

14. 友だちがパーティーでとった写真を（　　　　　）くれました。

Ⅳ. （　　　）に反対の (opposite) ことばを入れなさい。
　　　はんたい

Ex.　上 ⟷ （　下　）

1. 立つ　⟷ （　　　　）　　11. 貸す　⟷ （　　　　）

2. 起きる　⟷ （　　　　）　　12. 出る　⟷ （　　　　）

3. 始まる　⟷ （　　　　）　　13. 父　⟷ （　　　　）

4. 出席　⟷ （　　　　）　　14. 兄　⟷ （　　　　）

5. 結婚　⟷ （　　　　）　　15. 妹　⟷ （　　　　）

6. 和式　⟷ （　　　　）　　16. 黒　⟷ （　　　　）

7. 地上　⟷ （　　　　）　　17. 右　⟷ （　　　　）

8. 私立　⟷ （　　　　）　　18. 東　⟷ （　　　　）

9. 国内　⟷ （　　　　）　　19. 北　⟷ （　　　　）

10. 病気　⟷ （　　　　）　　20. 晴れ　⟷ （　　　　）

第 26 課
だい か

ユニット1 .... 漢字の話

日本の四季（The Four Seasons in Japan）
し き

There are four seasons in Japan: spring, summer, autumn and winter.

Memorize these kanji with the corresponding adjectives.

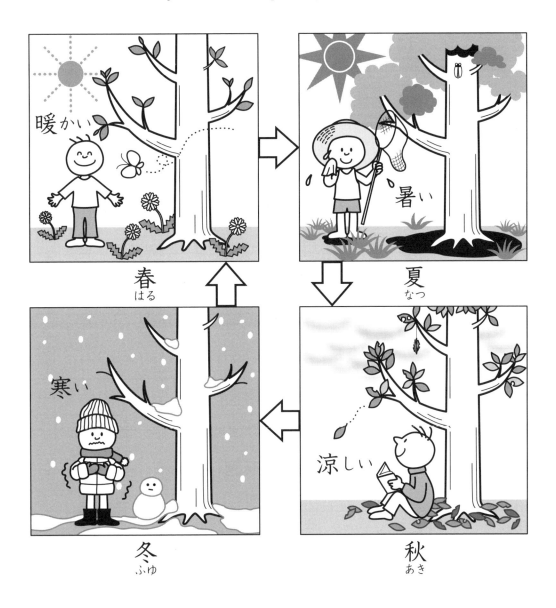

春
はる

夏
なつ

冬
ふゆ

秋
あき

ユニット2 ・・・・・・・・・・・・・・・・・・・・・・・・・・・・・ 第 26 課の基本漢字

2-1 漢字の書き方 ・・・

漢字	いみ	くんよみ	オンヨミ	（画数）

288

春 spring　はる　シュン　（9）

一 二 三 声 夫 未 春 春 春

春（はる）spring　　春分（しゅん・ぶん）の日（ひ）the vernal equinox
春休（はる・やす）み spring vacation　　青春（せい・しゅん）youth

289

夏 summer　なつ　カ　（10）

一 一 丆 百 百 百 百 夏 夏 夏

夏（なつ）summer　　冷夏（れい・か）cool summer
夏休（なつ・やす）み summer vacation　　真夏（ま・なつ）midsummer

290

秋 autumn　あき　シュウ　（9）

一 二 千 禾 禾 禾 利 秒 秋

秋（あき）autumn　　晩秋（ばん・しゅう）late autumn
秋分（しゅう・ぶん）の日（ひ）the autumnal equinox

漢字	いみ	くんよみ	オンヨミ	（画数）

291 冬 — winter — ふゆ — トウ （5）

ノ ク 冬 冬 冬

冬（ふゆ）winter   暖冬（だん・とう）mild winter
冬休（ふゆ・やす）み winter vacation

292 暑 — hot (for weather) — あつ-い — ショ （12）

丨 冂 冂 日 旦 早 昊 昊 早 暑 暑 暑

暑（あつ）い hot   暑中見舞（しょ・ちゅう・み・ま）い summer greeting (card)
暑（あつ）さ heat

293 熱 — hot (for objects) heat — あつ-い — ネツ／ネッ- （15）

一 十 土 尹 去 赱 幸 坴 刲 刲 埶 埶 熱
熱

熱（あつ）い hot   熱（ねつ）fever, heat
熱心（ねっ・しん）な eager   熱中（ねっ・ちゅう）する to be enthusiastic

294 寒 — cold (for weather) — さむ-い — カン （12）

丶 丷 宀 宀 宇 宇 実 実 実 寒 寒 寒

寒（さむ）い cold   寒冷前線（かん・れい・ぜん・せん）cold front
寒（さむ）さ cold, chill   寒波（かん・ぱ）cold wave (weather)

漢字	いみ	くんよみ	オンヨミ	(画数)

295 冷

cold (for objects) cool

ひ-える　つめ-たい
ひ-やす

レイ

(7)

丶　冫　冫　冷　冷　冷　冷

冷(つめ)たい　cold, cool

冷房(れい・ぼう)　air conditioning

冷(ひ)やす　to cool, to chill

冷蔵庫(れい・ぞう・こ)　refrigerator

296 暖

warm (for weather)

あたた-かい

ダン

(13)

丨　冂　日　日　日́　日̀　日̀　日̆　晆　晒　晒　暖　暖

暖(あたた)かい　warm

温暖(おん・だん)な　warm, mild

暖房(だん・ぼう)　heating

暖冬(だん・とう)　mild winter

297 温

warm (for objects)

あたた-まる　あたた-かい
あたた-める

オン

(12)

丶　冫　氵　氵　汩　沪　沪　涅　涅　温　温

温(あたた)かい　warm

体温計(たい・おん・けい)　(clinical) thermometer

温度(おん・ど)　temperature

温泉(おん・せん)　hot spring

298 涼

cool

すず-しい

リョウ

(11)

丶　冫　氵　氵　汁　汁　泸　泸　涼　涼

涼(すず)しい　cool

涼風(りょう・ふう)　cool breeze

涼(すず)む　to cool oneself

| 漢字 | | いみ | くんよみ | | オンヨミ | （画数） |

299

天　weather　（あめ）（あま-）　テン　（4）

一　二　干　天

天（あま）の川（がわ）the Milky Way　　天国（てん・ごく）heaven, paradise
天気（てん・き）the weather　　雨天（う・てん）rain (weather)

2-2 読み練習

Ⅰ．つぎの漢字の読み方をひらがなで書きなさい。

1. 暖かい春の日　　2. 寒い冬の日　　3. 暑い夏の日

4. 涼しい部屋　　5. 熱いふろ　　6. 冷たい水

7. 温かいスープ　　8. 天気がいい　　9. 熱がある

Ⅱ．つぎの文を読んでみましょう。

1. 暑いから、冷たい飲み物がほしい。

2. きょうはいい天気で暖かいが、きのうは寒かった。

3. 夏は海や山など涼しい所へ行きたい。

4. 春分の日と秋分の日は休みだ。

5. この図書館には冷房も暖房もある。
　　　　　　　ぼう　　ぼう

6. 春、夏、秋、冬の中で、いつが一番好きですか。

7. 熱がありますね。体温計で計ってください。 to take one's temperature

8. 日本人は夏の暑いとき、暑中見舞_まいのはがきを書く。

to write a summer greeting card

2-3 書き練習 ....

Ⅰ．つぎの□に適当_{てきとう}な漢字を書きなさい。

1. spring
□
はる

2. summer
□
なつ

3. autumn
□
あき

4. winter
□
ふゆ

5. a cool day
□しい□
すず　　ひ

6. a hot day
□い□
あつ　　ひ

7. hot tea
□いお□
あつ　　　　ちゃ

8. a cold room
□い□□
さむ　　　へや

9. cold water
□たい□
つめ　　みず

10. a warm house
□かい□
あたた　　いえ

11. warm food
□かい□べ□
あたた　　た　もの

12. the weather
□□
てん　き

Ⅱ．ことばの意味_{いみ}をかんがえて、適当_{てきとう}な漢字を書いてみましょう。

1. the four seasons
□□□□
しゅん　か　しゅう　とう

2. summer vacation
□□み
なつ　やす

3. winter vacation
□□み
ふゆ　やす

4. the vernal equinox

☐☐
しゅん ぶん

5. the autumnal equinox

☐☐
しゅう ぶん

6. the Milky Way

☐ の ☐
あま   がわ

7. air conditioning and heating

☐ 房 と ☐ 房
れい ぼう だん ぼう

8. to raise the temperature

☐☐ を ☐ げる
おん ど   あ

9. to cool 'sake' in the refrigerator

☐ 蔵庫 で ☐ を ☐ やす
れい ぞう こ   さけ   ひ

Ⅲ. つぎの文を習った漢字を使って書きましょう。

1. このこは、はるにうまれたので、「はるこ」というなまえをつけました。

2. あついときには、あついものをのんだほうがいい。

3. あきこさんは、ねつがあって、へやでねています。

4. ことしのふゆはだんとうで、ゆきがすくない。

5. あしたはいいてんきで、あさのうちはさむいが、ひるごろから

   あたたかくなるそうです。

ユニット3 ・・・・・・・・・・・・・・・・・・・・・・・・・・・・・・・・・ 読み物

＜四季＞
しき

[問題] つぎの文を読んで、下の表（chart）に書き入れてください。
ひょう

	春	夏	秋	冬
月 months				
行事 events		海や山へ行く		正月

　日本には季節が四つあり、これを「四季」という。三月、四月、五月は春で
きせつ
ある。暖かく、花がきれいな季節で、多くの人が花見に出かける。それから夏
が来るが、六月にはよく雨が降る。七月、八月はとても暑い。海や山など涼し
い所へ行く人が多い。九月になると、涼しくなり、秋である。月がきれいな季
節で、いい天気の時は月見ができる。「読書の秋」、「スポーツの秋」などといい、
あちこちの学校ではスポーツ大会が行われる。秋が終わって、十二月ごろから
冬が来る。北の地方では雪がたくさん降る。正月から二月ごろが一番寒い。

＊季節　season
　きせつ
　〜という　to be called 〜
　暖かく、＝暖かくて、
　〜や〜など　〜 and 〜 and so on
　あちこち　here and there
　行われる　to be held
　おこな
　正月　the first day of the New Year
　しょうがつ

四季　the four seasons
しき
〜である＝〜だ／です　is 〜
花見　flower viewing
月見　moon viewing
大会　tournament, meeting
地方　region

知っていますか できますか
(し)

＜年賀状と暑中見舞い (Greeting Cards) ＞
(ねん が じょう　しょちゅう み ま)

日本人は、正月に年賀状 (New Year's greeting card)、夏の暑い時に暑中見舞い
(しょうがつ) (ねん が じょう)　　　　　　　　　　　　　　　　　　(しょちゅう み ま)
(summer greeting card) のはがきを書いて、友人やお世話になった人に出します。
　　　　　　　　　　　　　　　　　　　　　　　　　　　　　　(せ わ)

年賀状
(ねん が じょう)

明けましておめでとうございます
昨年中は大変お世話になりました。
本年もよろしくお願い申し上げます。
皆様のご多幸をお祈りいたします。
平成二十八年元旦

暑中見舞い
(しょちゅう み ま)

暑中お見舞い申し上げます
お元気でご活躍のことと思います。
おかげ様で私も元気でやっております。
暑さのおり、どうぞご自愛下さい。
二〇一六年夏

---

*明けましておめでとうございます。
(あ)

　A Happy New Year

　cf. 新年おめでとうございます、謹賀新年、
　　　　　　　　　　　　　(きん が しんねん)

　　賀正 etc.
　　(が しょう)

昨年中 during the last year
(さくねんちゅう)

お世話になりました Thank you for your assistance.
(せ わ)

お願い申し上げます polite form of お願いします
(ねが もう あ)

皆様 polite form of 皆さん（all of you）
(みなさま)　　　　　　　 (みな)

ご多幸 great happiness
(た こう)

お祈りいたします I wish, I pray
(いの)

平成 the Heisei era (1989 ~)
(へいせい)

元旦 New Year's Day, the 1st of January
(がんたん)

ご活躍のこと to be active
(かつやく)

おかげ様で
(さま)

　by everyone's favor, thanks to you

おり＝時 time, when

ご自愛下さい
(じ あいくだ)

　Please take care of yourself.

十二支 (Twelve Animals Used as Names of Year)
じゅうにし

1. 子（ね）	=	ねずみ	rat	1960	1972	1984	1996	2008
2. 丑（うし）	=	牛	ox	1961	1973	1985	1997	2009
3. 寅（とら）	=	虎	tiger	1962	1974	1986	1998	2010
4. 卯（う）	=	うさぎ	rabbit	1963	1975	1987	1999	2011
5. 辰（たつ）	=	竜	dragon	1964	1976	1988	2000	2012
6. 巳（み）	=	へび	snake	1965	1977	1989	2001	2013
7. 午（うま）	=	馬	horse	1966	1978	1990	2002	2014
8. 未（ひつじ）	=	羊	sheep	1967	1979	1991	2003	2015
9. 申（さる）	=	猿	monkey	1968	1980	1992	2004	2016
10. 酉（とり）	=	鳥	rooster	1969	1981	1993	2005	2017
11. 戌（いぬ）	=	犬	dog	1970	1982	1994	2006	2018
12. 亥（い）	=	いのしし	boar	1971	1983	1995	2007	2019

［質問］

1. 今年は何年ですか。
　　　　なにどし

2. 来年は何年ですか。
　　　　なにどし

3. あなたは何年生まれですか。
　　　　　なにどしう

＊「何年ですか」は「何歳ですか」のかわりにも使います。
　　なにどし　　　　　　なにさい

接辞の漢字 -2- 仕事 （Prefixes and Suffixes -2- Occupations）
せつじ しごと

For expressing one's occupation the following suffixes are used.

-者（しゃ）　医者＝医（い, medicine）＋者　doctor
　　　　　　記者＝記（き, record）＋者　reporter
　　　　　　学者＝学（がく, study）＋者　scholar
　　　　　　研究者＝研究（けんきゅう, research）＋者　researcher
　　　　　　教育者＝教育（きょういく, education）＋者　educator

-手（しゅ）　歌手＝歌（か, song）＋手　singer
　　　　　　投手＝投（とう, throw）＋手　pitcher
　　　　　　選手＝選（せん, select）＋手　player
　　　　　　運転手＝運転（うんてん, drive）＋手　driver

-員（いん）　議員＝議（ぎ, conference）＋員　member of an assembly
　　　　　　駅員＝駅（えき, station）＋員　station employee
　　　　　　店員＝店（てん, shop）＋員　salesperson
　　　　　　船員＝船（せん, ship）＋員　sailer
　　　　　　会社員＝会社（かいしゃ, company）＋員　company employee
　　　　　　銀行員＝銀行（ぎんこう, bank）＋員　bank clerk
　　　　　　図書館員＝図書館（としょかん, library）＋員　librarian

-家(か)　画家＝画(が, painting)＋家　painter

小説家＝小説(しょうせつ, novel)＋家　novelist

政治家＝政治(せいじ, politics)＋家　politician

音楽家＝音楽(おんがく, music)＋家　musician

写真家＝写真(しゃしん, photo)＋家　photographer

-屋(や)　shop, shop keeper

本屋＝本(ほん, book)＋屋　book store

米屋＝米(こめ, rice)＋屋　rice store

花屋＝花(はな, flower)＋屋　flower shop

肉屋＝肉(にく, meat)＋屋　butcher

魚屋＝魚(さかな, fish)＋屋　fish shop

酒屋＝酒(さけ, liquor)＋屋　liquor shop
さかや

薬屋＝薬(くすり, medicine)＋屋　drugstore

写真屋＝写真(しゃしん, photo)＋屋　photo shop

-業(ぎょう)　business

工業＝工(こう, craft)＋業　industry

商業＝商(しょう, trade)＋業　commerce

農業＝農(のう, farming)＋業　agriculture

林業＝林(りん, wood)＋業　forestry

漁業＝漁(ぎょ, fishing)＋業　fishery

観光業＝観光(かんこう, tourism)＋業　tourist industry

サービス業＝サービス(service)＋業　service industry

ユニット 2 ·························· 第 27 課の基本漢字

2-1 漢字の書き方

漢字	いみ	くんよみ	オンヨミ	(画数)

300

仕	serve do		シ	(5)

ノ イ 仁 什 仕

仕事 (し・ごと) job, work   仕上 (し・あ) げる to complete

仕方 (し・かた) how to do, way of doing

301

事	thing matter	こと	ジ	(8)

一 亅 亠 亖 亘 事 事 事

物事 (もの・ごと) things, matters   食事 (しょく・じ) meal

事故 (じ・こ) accident   用事 (よう・じ) business, errand

302

者	person	もの	シャ	(8)

一 十 土 耂 耂 者 者 者

者 (もの) person   科学者 (か・がく・しゃ) scientist

医者 (い・しゃ) doctor   学者 (がく・しゃ) scholar

漢字		いみ		くんよみ			オンヨミ		（画数）

303 運 carry / fortune | はこ-ぶ | ウン | （12）

運（はこ）ぶ to carry, to transport　　運（うん）luck, fortune

運動（うん・どう）exercise, movement　　運送（うん・そう）transport

304 転 turn | ころ-ぶ | テン | （11）

転（ころ）ぶ to fall down　　運転（うん・てん）する to drive

自転車（じ・てん・しゃ）bicycle　　回転（かい・てん）する to turn

305 選 choose / elect | えら-ぶ | セン | （15）

選（えら）ぶ to select, to choose　　選挙（せん・きょ）election

選手（せん・しゅ）player

306 記 write down | キ | （10）

記事（き・じ）article　　記入（き・にゅう）する to write down, to fill in

日記（にっ・き）diary　　記者（き・しゃ）reporter

漢字		いみ	くんよみ	オンヨミ	（画数）

307 議　discuss

ギ　（20）

` 二 二 言 言 言 言 言 言 言 言 言 言 言 言 言 詳 詳 議 議 議

会議（かい・ぎ） meeting, conference　　　議会（ぎ・かい） assembly

議長（ぎ・ちょう） chairperson　　　議論（ぎ・ろん）する to discuss

308 員　member

イン　（10）

` 冂 口 尸 吊 吊 冒 冒 員 員

会員（かい・いん） member (of an association)　　　店員（てん・いん） salesperson

定員（てい・いん） capacity, quota

309 商　commerce / trade

ショウ　（11）

` 亠 宀 立 产 产 产 产 商 商 商

商店（しょう・てん） store　　　商売（しょう・ばい） business

商品（しょう・ひん） goods, products　　　商社（しょう・しゃ） trading company

310 業　job / business

ギョウ　（13）

` 冂 冂 業 業 業 業 業 業 業 業 業

工業（こう・ぎょう） industry　　　商業（しょう・ぎょう） commerce

産業（さん・ぎょう） industry　　　授業（じゅ・ぎょう） class, lesson

漢字	いみ	くんよみ	オンヨミ	（画数）

311

農　farming
agriculture

ノウ

（13）

丶　冂　曲　曲　曲　曲　曲　严　严　農　農　農

農村（のう・そん）farming village　　農家（のう・か）farm household

農民（のう・みん）farmer　　農業（のう・ぎょう）agriculture

2-2 読み練習 ．．．．．．．．．．．．．．．．．．．．．．．．．．．．．．．．．．．．．

Ⅰ．つぎの漢字の読み方をひらがなで書きなさい。

1. 父の仕事　　2. 科学者　　3. 運転手　　4. 運動する

5. テニスの選手　　6. 新聞記者　　7. 国会議員　　8. 工業

9. 商業　　10. 農業　　11. 会議　　12. 会社員

Ⅱ．つぎの文を読んでみましょう。

1. きのうの晩、春子さんは外で食事をしました。

2. この荷物を自転車で運んでください。
　　　　　　　　じ

3. 秋子さんは医者の仕事を選びました。

4. この新聞記事はおもしろいです。

5. あの店員は店の商品についてよくしっています。
　　　　　　　　　　ひん

6. 日本はむかし農業国でしたが、今は工業国になりました。

7. 農家の仕事は朝早くから忙しいです。

8. 私は毎晩寝る前に日記を書いている。

2-3 書き練習 ∙∙

Ⅰ. つぎの□に適当な漢字を書きなさい。
てきとう

1. to drive a car

□ を □□ する
くるま うん てん

2. to do a job

□□ をする
し ごと

3. to go to the doctor

□□ に □ く
い しゃ   い

4. tennis player

テニス □□
せん しゅ

5. newspaper reporter

□□□□
しん ぶん き しゃ

6. librarian

□□□□
と しょ かん いん

7. a member of the Diet

□□□□
こっ かい ぎ いん

8. commerce

□□□
しょう ぎょう

9. agriculture

□□
のう ぎょう

10. to write a diary

□□ を □ く
にっ き   か

11. bicycle

自 □□
じ てん しゃ

12. salesperson

□□
てん いん

Ⅱ. ことばの意味をかんがえて、適当な漢字を書いてみましょう。
   いみ　　　　　　　　　　　てきとう

1. conference room

かい　ぎ　しつ

2. young man

わか　もの

3. article

き　じ

4. meal

しょく　じ

5. construction (work)

こう　じ

6. scientist

か　がく　しゃ

7. scholar

がく　しゃ

8. station employee

えき　いん

9. warm-up exercise

じゅん　び　うん　どう

10. driver

うん　てん　しゅ

11. industry

こう　ぎょう

12. class

授 | |
---|

じゅ ぎょう

Ⅲ. つぎの文を習った漢字を使って書きましょう。

1. あしたのかいぎでぎちょうがえらばれます。

2. しんぶんにそのせんしゅについてのきじがある。

3. このみちはこうじちゅうでとおれません。

4. のうぎょうはわたしたちのせいかつにとって、いちばんたいせつな

　ものだとおもう。

5. すきなことをするために、きまったしごとをもたないで、アルバイトで

　せいかつしているひともいます。

ユニット3 •• 読み物

＜仕事は何ですか＞

[問題] 下の文を読んで、その人の仕事を〜〜〜の中から読んでください。

駅員　　医者　　科学者　　新聞記者　　音楽家

政治家　　写真屋　　図書館員　　運転手　　歌手

1. 私はおもしろいニュースをさがして、いつも走り回っています。外国の
   ニュースを速く手に入れることも大切ですから、朝早くから夜遅くまで
   電話やインターネット、電子メールなどを使っています。（　　　　　）

2. 私の仕事は、学校に入学する人や結婚する人などにいい思い出を作って
   あげることです。パスポートの写真をとることもあります。

   （　　　　　）

3. 私は毎日バスに乗っています。むかしは車掌（conductor）といっしょに
   仕事をしましたが、今は一人ですから、とても疲れます。

   （　　　　　）

4. 私の仕事は、ホームに入ってくる電車のアナウンスをしたり、電車に
   合図（signal）を送ったりすることです。　　　（　　　　　）

5. 病気の人を治したり、気分がわるい人に薬をあげたりするのが私の仕事
   です。大きい病院では働く時間がきまっていますが、小さい医院では
   病人がいれば、夜中でも見に行かなければなりませんから、たいへんな
   仕事です。　　　　　　　　　　　　　　　　　（　　　　　）

6. 私はたくさんの本の中で仕事をしています。町の人たちに本を貸したり、
   返してもらったり、古くなった本をなおしたりします。読書が大好きで、
   家へ帰ってからも、よく本を読みます。　　　　（　　　　　）

知っていますか できますか

＜いろいろな仕事 (Various Occupations) ＞

第 28 課
だい　　　　か

ユニット1 ·· 漢字の話

☀ テスト問題（Test Questions） ··

良い（よい, good）◆━━▶ 悪い（わるい, bad）

正しい（ただしい, correct）◆━━▶ 間違っている（まちがっている, to be wrong）

同じ（おなじ, same）◆━━▶ 違う（ちがう, to differ）

適当な（てきとうな, suitable）◆━━▶ 不適当な（ふてきとうな, unsuitable）

難しい（むずかしい, difficult）◆━━▶ やさしい（easy）

次の（つぎの, following）

日本語テスト

合計点

名前 _____

I _____の意味として、もっとも適当なものを選びなさい。

　(1) この本は、やさしい。　　（1. kind　　2. easy　　3. gentle）

II 次の文を読んで正しいものに○、間違っているものに×をつけなさい。

　(1)（　　）山が見れる。

　(2)（　　）山が見える。

　(3)（　　）山が見られる。

III 下の語の中から、正しいものをひとつ選び、適当な形にして（　　　）の中に入れなさい。

> やる・あげる・くれる・くださる・もらう・いただく・さしあげる

　(1) 弟は、めずらしい切手を持っているので、1まい私に（　　　）ました。

IV （　　　）の中に入る適当なことばを次の中から選んで書きなさい。

> ぐらい　　ほど　　より

　(1) あたまが痛くなる（　　　）難しかった。

　(2) 心配していた（　　　）結果は良かった。

V 会話を聞いて次の質問に答えなさい。

　(1) スミスさんは、よく音楽会に行きますか。

ユニット 2 ・・・・・・・・・・・・・・・・・・・・・・・・・ 第 28 課の基本漢字

2-1 漢字の書き方 ・・

漢字	意味	くんよみ	オンヨミ	（画数）

312

良 — good — よ-い — リョウ — （7）

｀ ｀ ⺈ ⺕ ⺕ 臼 良 良

良（よ）い good　　　　最良（さい・りょう）the best
良心（りょう・しん）conscience　　　良好（りょう・こう）な good

313

悪 — bad — わる-い — アク — （11）

一 ⼀ ⼢ 亜 亜 亜 亜 悪 悪 悪

悪（わる）い bad　　　　悪化（あっ・か）する to deteriorate
悪口（わる・くち）speaking ill of　　　悪性（あく・せい）の malignant

314

点 — point / score — — テン — （9）

丶 ⼘ ⼘ 占 占 点 点 点 点

点（てん）point　　　　点数（てん・すう）points, score
欠点（けっ・てん）fault　　　終点（しゅう・てん）the last station/stop

漢字	意味	くんよみ	オンヨミ	（画数）

315 正　right correct
くんよみ：ただ-しい　オンヨミ：セイ　ショウ　（5）

一　丁　下　正　正

正（ただ）しい　right, correct　　正答（せい・とう）　the correct answer
正月（しょう・がつ）　the New Year　　正直（しょう・じき）な　honest

316 違　differ violate
くんよみ：ちが-う　オンヨミ：イ　（13）

丿　ヲ　彑　产　音　音　音　音　音　章　章　違　違

違（ちが）う　to be different　　違（ちが）い　difference
間違（ま・ちが）い　mistake　　違反（い・はん）　violation

317 同　same
くんよみ：おな-じ　オンヨミ：ドウ　（6）

｜　冂　冂　同　同　同

同（おな）じ　same　　同情（どう・じょう）する　to sympathize
同時（どう・じ）に　at the same time　　同意（どう・い）する　to agree

318 適　suitable
オンヨミ：テキ　（14）

丨　ヒ　ナ　立　产　商　商　商　商　商　適　適　適

適（てき）した　suitable　　適応（てき・おう）する　to adapt
適当（てき・とう）な　suitable　　適切（てき・せつ）な　appropriate

漢字	意味	くんよみ	オンヨミ	（画数）

319

当 | hit / right | あ-たる / あ-てる | トウ | （6）

｜ ｜ ｜ ｜ ｜ ｜ ｜ ｜ ｜ ｜ ｜

当（あ）たる　to hit　　　　　　　本当（ほん・とう）　truth

手当（て・あ）て　(medical) treatment　　当番（とう・ばん）　duty, turn

320

難 | difficult | むずか-しい | ナン | （18）

一 十 廾 艹 苎 苩 苫 莒 萆 萆 萆 莿 嘆 嘆

嘆 難 難 難

難（むずか）しい　difficult　　　　住宅難（じゅう・たく・なん）　housing shortage

難問（なん・もん）　difficult problem　　困難（こん・なん）な　difficult

321

次 | next | つ-ぐ / つぎ | ジ | （6）

｀ ｀ ｀ 冫 次 次 次

次（つ）ぐ　to be next to　　　　目次（もく・じ）　table of contents

次（つぎ）　next　　　　　　　次回（じ・かい）　next time

322

形 | shape / form | かたち | ケイ / ギョウ | （7）

一 二 干 开 形 形 形

形（かたち）　shape　　　　　　人形（にん・ぎょう）　doll

形式（けい・しき）　form　　　　　活用形（かつ・よう・けい）　conjugation

漢字	意味	くんよみ	オンヨミ	（画数）

323

| 味 | taste | あじ
あじ-わう | ミ | （8） |

一 口 口 口 口 叶 味 味

味（あじ） taste   意味（い・み） meaning

味（あじ）わう to taste   趣味（しゅ・み） hobby

2-2 読み練習

I．次の漢字の読み方をひらがなで書きなさい。

1. 良い   2. 悪い   3. 正しい   4. 難しい   5. 適当な

6. 同じ   7. 違う   8. 点   9. 形   10. 次   11. 味

12. 目次   13. 形式

II．次の文を読んでみましょう。

1. 彼女の趣味は人形を作ることです。
   しゅ

2. 次のことばの意味としてもっとも適当なものを選びなさい。
   い

3. 次の文を読んで正しいものに○を、間違っているものに×を
   まる   ばつ

　つけなさい。

4. 大都市で一番大きい問題は、住宅難です。

5. テストで悪い点をとって、本当にざんねんだった。

次回はがんばろうと思う。

6. 人間には良い点があると同時に欠点もある。

7. 年のはじめに神社に行くことを「初詣」という。

じんじゃ　　　　　　　　　はつもうで

2-3 書き練習 ....

Ⅰ. 次の□に適当な漢字を書きなさい。

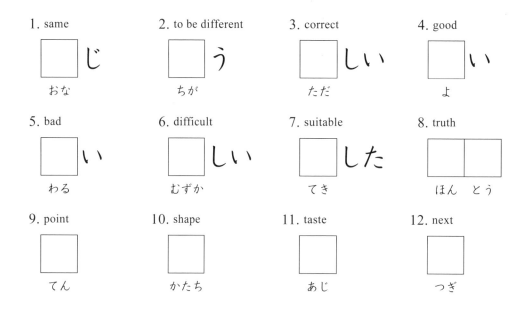

1. same
□じ
おな

2. to be different
□う
ちが

3. correct
□しい
ただ

4. good
□い
よ

5. bad
□い
わる

6. difficult
□しい
むずか

7. suitable
□した
てき

8. truth
□□
ほん　とう

9. point
□
てん

10. shape
□
かたち

11. taste
□
あじ

12. next
□
つぎ

Ⅱ. ことばの意味をかんがえて、適当な漢字を書いてみましょう。

い　み

1. conscience
□心
りょうしん

2. speaking ill of
□□
わる　くち

3. the correct answer
□□
せい　とう

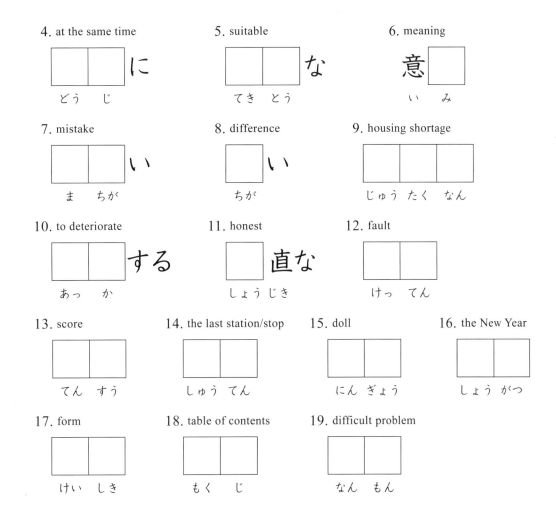

4. at the same time
□□に
どう　じ

5. suitable
□□な
てき　とう

6. meaning
意□
い　み

7. mistake
□□い
ま　ちが

8. difference
□い
ちが

9. housing shortage
□□□
じゅう　たく　なん

10. to deteriorate
□□する
あっ　か

11. honest
□直な
しょうじき

12. fault
□□
けっ　てん

13. score
□□
てん　すう

14. the last station/stop
□□
しゅう　てん

15. doll
□□
にん　ぎょう

16. the New Year
□□
しょう　がつ

17. form
□□
けい　しき

18. table of contents
□□
もく　じ

19. difficult problem
□□
なん　もん

Ⅲ. 次の文を習った漢字を使って書きましょう。

1. このでんしゃのしゅうてんは、とうきょうえきです。

2. つぎのぶんとおなじいみのぶんをえらびなさい。

3. このてんすうは、まちがっている。

4. このケーキは、かたちはわるいが、あじはいい。

5. けががあっかしないように、いしゃにいって、てあてをしてもらった。

6. ひとのわるくちをいうのは、よくありません。

ユニット3 ·· **読み物**

＜テスト＞

　ぼくは大学でテストをうけている。

　となりの真理子さんは赤いセーターがよくにあっている。テストは全部で三問ある。

　難しい問題ではなかった。この前は悪かったので、今度は良い点をとらなければならない。「よし、このテストは大丈夫だ。テストの後で真理子さんをスキーにさそおう。」ぼくは元気を出して問題を読んだ。

　「問題１．次の言葉の意味で正しいものに○、間違っているものに×をつけなさい。」やさしい！　もうできた！

　「問題２．次の文の下線の動詞を適当な形にしなさい。」

　スキーは楽しいだろうな。ぼくと真理子さんは白い雪の中で二人だけだ。

　よし、がんばるぞ。

　「問題３．」なんだ、これは！　これは全部コンピューターのプログラムじゃないか。次のページも、その次のページも。となりを見ると、真理子さんはいない。はっとして起きると、ぼくは会社のデスクにいた。

　外には白い雪が降っている。今日はクリスマスだ。

＊にあう to suit　　　全部 all　　　　　大丈夫 all right
　言葉 word　　　　　下線 underline　　動詞 verb
　がんばる to do one's best　　　　　　はっとする to be startled

［質問］

　1. この人の仕事は何ですか。

　2. どうしてこの人はこんなゆめを見ましたか。

　3. この人はどんな人だと思いますか。

＜原稿用紙 (Manuscript Paper) の使い方＞
げんこうようし

① 一番はじめの文は、1マスあけて書く。段落 (paragraph) のはじめの文も
だんらく
同じ。

② 小さい「っ」や「ゃ」「ゅ」「ょ」も1マスに入れて書く。よこ書きのと
きとたて書きのときの字の位置 (position) に注意。
いち　　　　　　　　ちゅうい

よこ書き	ち	ょ	う	ど	食	事	を	終	わ	っ	た	時	に	、	来

たて書き （縦書き表示）

③ 「、」や「。」、かぎかっこ（「　」）などの記号（『　』,＜　＞,・,　—,　etc.)
も1マスに入れて書く。たてに書くときは、記号の向き (direction) に注意。
む

よこ書き	「	い	い	え	、	そ	う	で	は	あ	り	ま	せ	ん	。」

たて書き （縦書き表示）

④ 「、」や「。」は、行の先頭に書かない。前の行のマスの外に書く。

○良い例	朝	6	時	ご	ろ	起	き	て	、	公	園	へ	行	っ	た。
	そ	し	て	、	ジ	ョ	ギ	ン	グ	を	し	て	か	ら	、

×悪い例	朝	6	時	ご	ろ	起	き	て	、	公	園	へ	行	っ	た
	。	そ	し	て	、	ジ	ョ	ギ	ン	グ	を	し	て	か	ら

⑤ アルファベットの数字の書き方。

よこ書き	ガ	ン	ジ	ー	（	Ga	nd	hi	）	は	18	69	年	に	、

たて書き （縦書き表示）

63

ユニット1 ・・・・・・・・・・・・・・・・・・・・・・・・・・・・ 漢字の話

 大学の入学試験（University Entrance Examinations）
にゅうがく し けん

書類（＝願書）を出す
しょるい　がんしょ
↓
受験票を受け取る
ひょう
↓
試験を受ける
↓
面接を受ける
↓
結果 ── 合格・・・・・・・・・・試験に受かる
　　　 └ 不合格・・・・・・・・試験に落ちる

残念

		国費	私費	その他

博 1
○○大学大学院受験票

受験番号 ※		
志望		研究科
		専 攻
氏名		

受　験　科　目		
外国語等	専門科目	関連科目
1		
2		基 礎 科 目
3		

写 真 貼 付
（5cm×6cm）

物理学研究科

月日	9月12日（月）			9月13日（火）		
科目	専門科目		関連科目	外国語	第1次試験合格者発表	第2次試験面接
専攻　時間	10:00～12:00	13:00～15:00	15:30～17:00	10:00～11:00	12:00	13:00～15:00
物理学	物理学 I	物理学 II	数　学	英　語 {英文和訳}{和文英訳}		

ユニット2 ・・・・・・・・・・・・・・・・・・・・・・・・・・・ 第29課の基本漢字

2-1 漢字の書き方 ・・・

漢字	意味	くんよみ	オンヨミ	（画数）

324 試 — try

くんよみ: こころ-みる　ため-す
オンヨミ: シ
（13）

` ヽ ニ ニ ニ 言 言 言 言 訂 訂 試 試

試(こころ)みる　to try　　　試合(し・あい) game

試(ため)す　to try, to test　　試着室(し・ちゃく・しつ) dressing room

325 験 — examine / effect

オンヨミ: ケン
（18）

丨 厂 厂 厈 厈 馬 馬 馬 馬 馬 馻 馻 騇 験
騇 騇 験 験

試験(し・けん) examination　　　受験(じゅ・けん)する to take an exam

実験(じっ・けん)する to experiment　　経験(けい・けん)する to experience

326 面 — face / surface

くんよみ: （おも）
オンヨミ: メン
（9）

一 一 一 一 面 面 面 面 面

面(めん) surface　　　　〜方面(ほう・めん) in the direction of〜

面接(めん・せつ)する to interview　　〜に面(めん)する to face〜

漢字	意味	くんよみ	オンヨミ	（画数）

327

接 | connect / touch | （つ-ぐ） | セツ／セッ- | （11）

一 丿 扌 扩 扩 扩 护 护 接 接 接

接(つ)ぐ to connect　　　　直接(ちょく・せつ) direct

接(せっ)する to touch, to be next　　面接(めん・せつ) interview

328

説 | explain | | セツ／セッ- | （14）

` 亠 亠 言 言 言 言 訁 訁 訁 説 説 説 説

説明(せつ・めい)する to explain　　　説教(せっ・きょう)する to lecture, to preach

小説(しょう・せつ) novel　　　　伝説(でん・せつ) legend

329

果 | fruit / result | | カ | （8）

丨 冂 日 日 旦 甲 果 果

結果(けっ・か) result　　　　効果(こう・か) effect

*果物(くだもの) fruit　　　　成果(せい・か) outcome

330

合 | fit / suit | あ-う / あ-わす | ゴウ / ガッ | （6）

丿 亼 合 合 合 合

合(あ)う to fit, to suit　　　　合宿(がっ・しゅく) training camp

話(はな)し合(あ)う to discuss　　　合計(ごう・けい) total

漢字	意味	くんよみ	オンヨミ	（画数）

331 格 status / rank — カク (10)

一 十 オ 木 札 杦 柊 格 格 格

合格（ごう・かく）する to pass　　性格（せい・かく）character
資格（し・かく）qualifications　　価格（か・かく）price

332 受 receive — う-かる / う-ける — ジュ (8)

一 ㇇ 乊 爫 爫 �994 受 受

受（う）ける to receive　　受験（じゅ・けん）する to take an exam
受付（うけ・つけ）reception desk　　受信（じゅ・しん）する to receive (email etc.)

333 落 fall / drop — お-ちる / お-とす — ラク／ラッ- (12)

一 十 艹 芒 芢 䒑 莎 茨 茨 茨 落 落

落（お）ちる to fall, to fail　　落第（らく・だい）する to fail (in an exam)
落（お）とす to drop　　落下（らっ・か）する to fall, to drop

334 残 remain — のこ-る / のこ-す — ザン (10)

一 ㇅ 歹 歹 歹 歼 歼 残 残 残

残（のこ）る to remain　　残高（ざん・だか）balance
残（のこ）す to leave　　残業（ざん・ぎょう）overtime work

漢字		意味		くんよみ		オンヨミ	（画数）

335

念 thoughts

ネン

(8)

丿 人 今 今 念 念 念

記念（き・ねん）commemoration, memory
残念（ざん・ねん）な regrettable

念入（ねん・い）りな careful, conscientious

2-2 読み練習 ....

Ⅰ．次の漢字の読み方をひらがなで書きなさい。

1. 経験　　2. 試験　　3. 面接する　　4. 説明する　　5. 結果

6. 試合　　7. 合格する＝試験に受かる

8. 受験する＝試験を受ける　　9. 試験に落ちる

10. 残念だ　　11. 残る　　12. 合う

Ⅱ．次の文を読んでみましょう。

1. 化学の実験をして、その結果をレポートにまとめた。
じっ

2. 東京方面行きの電車は３番ホームから出る。

3. 友だちと今後の予定について話し合った。

4. 私は来年の二月に大学院の試験を受けます。

5. 弟は去年私立の高校に合格した。
きょ

6. 水曜日のバスケットボールの試合は、残念な結果に終わった。

7. 残りのお金は合計１万５千円になります。

8. 広島へ行った時の記念写真をどこかで落としてしまった。

2-3 書き練習

Ⅰ．次の□に適当な漢字を書きなさい。

1. to test
□ す
ため

2. game
□□
し　あい

3. to take an examination
□□ を □ ける
し　けん　　う

4. interview
□□
めん　せつ

5. to explain the result
□□ を □□ する
けっ　か　　せつ　めい

6. regrettable
□□ な
ざん　ねん

7. to pass
□□ する
ごう　かく

8. to fail
□ ちる
お

Ⅱ．ことばの意味をかんがえて、適当な漢字を書いてみましょう。
　　　　い　み

1. experiment
実 □
じっ　けん

2. experience
□□
けい　けん

3. gift for guests at a ceremony
□□□
き　ねん　ひん

4. direction
□□
ほう　めん

5. qualifications
資 □
し　かく

6. effect
効 □
こう　か

7. indirect 　 かん せつ ↔ 8. direct 直□ ちょくせつ 　 9. to discuss □し□う はな あ

10. to put together □わせる あ 　 11. total □□ ごう けい 　 12. reception desk □付 うけ つけ

13. to take an exam □□する じゅ けん 　 14. to receive an email メールを□信する じゅ しん

Ⅲ. 次の文を習った漢字を使って書きましょう。

1. このしょうせつはほんとうにおもしろい。

2. わかいときに、がいこくでいろいろなけいけんをしたい。

3. にほんのかいしゃいんはよるおそくまでざんぎょうをするらしい。

4. スーツをかうまえに、しちゃくしつできてみました。

5. ゆうめいなかいしゃのめんせつしけんをうけたが、けっかは

　　ざんねんながらふごうかくだった。

ユニット3 ・・・・・・・・・・・・・・・・・・・・・・・・・・・・・・・・・・ 読み物

＜受験すごろく (Game: Sitting for an Examination) ＞
じゅけん

　まず、下のチャートを大きくコピーして使ってください。学生は名前を書いたコマを作ります。そして、一人ずつ順番にさいころをふって、目の数だけコマをすすめます。止まったところの文を読んでください。文が読めなければ、3つもどって、そこの文を読んでください。「面接」のカードは先生が作っておきます。面接で漢字カードが読めなかったら、次の番のときにもう一度チャレンジしてください。3回だめだったら、不合格です。

＊コマ　piece　　　　一人ずつ　one by one　　　　順番　order　　　　さいころ　dice
じゅんばん

　さいころをふる　to throw a die/dice

「すごろく」は日本人の子どもがお正月によく遊ぶゲームです。みなさんも、漢字の「すごろく」を作ってみてください。

知っていますか できますか

<申込書 (Application Forms) の書き方>
もうしこみしょ

フリガナ			性　別	生年月日	
お名前		様	男・女	T・S・H	
				・　・	
フリガナ					
ご住所					
ご連絡先 ☎	自宅	（　　）	勤務先	（　　）	

名前＝氏名
なまえ　　しめい

〜様＝〜殿
さま　　　どの

性別 gender
せいべつ

住所
じゅうしょ

連絡先 contact information
れんらくさき

自宅 one's home
じたく

勤務先 place of employment
きんむさき

(08・11) ● 通勤定期券・ICカード（記名式）購入申込書		(太枠内をご記入ください。)		
新規・継続	通勤・グリーン・フレックス・山手線均一・ICカード(記名式)　※通学定期券申込の場合は黄色の用紙にご記入ください。		ICカード希望 する・しない	支払方法 ● 現金・クレジットカード
カタカナで氏名をご記入ください。	男女	区　　間	駅	駅間
様　才		（経由）	（経由	）
生年月日	明・大・昭・平/西暦　　　年　　　月　　　日	使用開始及び有効期間	平成　　年　　月　　日から1・3・6箇月	
電話番号	※拾得時の連絡をご希望の場合は電話番号をご記入ください。　　―　　　　―			

通勤 commuting
つうきん

定期券 pass
ていきけん

記名式 registered to a single user's name
きめいしき

購入 purchase
こうにゅう

申込書 application form
もうしこみしょ

新規 new
しんき

継続 renewal
けいぞく

区間 section
くかん

経由 via
けいゆ

使用開始 starting date
しようかいし

及び and
およ

有効期間 period of validity
ゆうこうきかん

支払方法 payment method
しはらいほうほう

現金 cash
げんきん

第 30 課
だい　　か

部首 -5- 〔Radicals -5-〕
ぶしゅ

[さんずい：水を意味する部首]
　　　　　　　い　み

2. 泳ぐ

5. 消す

3. 流れる

1. 深い

4. 洗う

[てへん：手を意味する部首]
　　　　　　い　み

1. 　指さす
　　　　　　　指す

2. 　折る

3. 　払う

4. 　接ぐ

5. 　投げる

6. 　打つ

7. 　持つ

8. 　押す

73

ユニット 2 ・・・・・・・・・・・・・・・・・・・・・・・・ 第 30 課の基本漢字

2-1 漢字の書き方 ・・

漢字	意味	くんよみ	オンヨミ	（画数）
336 指	finger point	ゆび さ-す	シ	（9）

一 十 扌 扌 拃 指 指 指 指

指（ゆび）finger　　　　　　　　親指（おや・ゆび）thumb

指（さ）す to point out　　　　　指定席（し・てい・せき）reserved seat

337 折	fold break	お-る	セツ	（7）

一 十 扌 扌 扩 折 折

折（お）る to fold, to break　　　　右折（う・せつ）する to turn right

折（お）り紙（がみ）origami art　　　左折（さ・せつ）する to turn left

338 払	pay	はら-う		（5）

一 十 扌 払 払

払（はら）う to pay　　　　　　　前払（まえ・ばら）い advance payment

支払（し・はら）い payment

漢字	意味	くんよみ	オンヨミ	（画数）

339 投 throw　な-げる　トウ　（7）

一 　十 　才 　扩 　扣 　投 　投

投（な）げる　to throw　　投書（とう・しょ）する　to send a letter (to the editor)
投資（とう・し）する　to invest　　投手（とう・しゅ）pitcher

340 打 strike hit　う-つ　ダ　（5）

一 　十 　才 　扩 　打

打（う）つ　to hit　　打楽器（だ・がっ・き）percussion (instrument)
打（う）ち合（あ）わせ　preliminary meeting　　打者（だ・しゃ）batter

341 深 deep　ふか-まる　ふか-い　ふか-める　シン　（11）

丶 　冫 　氵 　ジ 　汀 　沪 　涇 　淁 　深 　深

深（ふか）い　deep　　水深（すい・しん）depth of water
深（ふか）まる　to deepen　　深夜（しん・や）the middle of the night

342 洗 wash　あら-う　セン　（9）

丶 　冫 　氵 　ジ 　汁 　汁 　洪 　涉 　洗

洗（あら）う　to wash　　洗剤（せん・ざい）detergent
洗面所（せん・めん・じょ）＝お手洗（て・あら）い　bathroom, toilet

漢字	意味	くんよみ	オンヨミ	（画数）

343

流　flow stream

なが-れる
なが-す

リュウ

（10）

｀　丶　氵　氵　汁　浐　浐　浐　済　流

流(なが)れ flow

流行(りゅう・こう) fashion

流(なが)れる to flow

流通(りゅう・つう)する to circulate

344

消　extinguish erase

き-える
け-す

ショウ

（10）

｀　丶　氵　氵　氵　浐　沖　消　消　消

消(き)える to disappear

消費(しょう・ひ)する to consume

消(け)す to turn off, to erase

消火(しょう・か)する to extinguish a fire

345

決　decide

き-まる
き-める

ケツ／ケッ-

（7）

｀　丶　氵　氵　沪　決　決

決(き)める to decide

決心(けっ・しん)する to resolve (to do something)

決定(けっ・てい)する to decide

決意(けつ・い)する to make up one's mind

2-2 読み練習 ・・・

Ⅰ．次の漢字の読み方をひらがなで書きなさい。

1. 打つ　　2. 投げる　　3. 折る　　4. 払う　　5. 洗う

6. 消える　　7. 決まる　　8. 流れる　　9. 深い　　10. 指

11. 右折する　　12. 左折する　　13. 指定席　　14. 深夜

15. 洗面所

Ⅱ．次の文を読んでみましょう。

1. 毎月１万円ずつ払って、新しい車を買うことに決めた。

2. 投資ブームについて新聞に投書した。

3. 寝る前に部屋の電気を消してください。

4. そこを右折して、次のかどを左折してください。

5. バイトで一日中なべやさらを洗って、指が痛くなった。

6. 投手がカーブを投げて、打者がホームランを打った。

7. 深い海に住む魚はどんな色をしていますか。

8. 山で降った雨の水は川を流れて海に入る。

2-3 書き練習 ・・・

Ⅰ. 次の□に適当な漢字を書きなさい。

1. to hit a nail

2. to throw a ball

3. to pay money

4. to bend one's fingers

5. to wash one's hands

6. flow

7. deep

8. to decide one's career

9. to turn off the light

Ⅱ. ことばの意味をかんがえて、適当な漢字を書いてみましょう。

1. payment

2. advance payment

3. preliminary meeting

4. to turn left

5. to turn right

6. the middle of the night

7. reserved seat

8. to invest

9. bathroom

10. to send a letter to the newspaper

11. Black is in fashion.

12. distribution of goods

13. to decide

Ⅲ. 次の文を習った漢字を使って書きましょう。

1. ゆびをおって、かずをかぞえる。

2. しゃないでとっきゅうのしていせきのりょうきんをはらった。

3. まいあさせんめんじょでかおをあらう。

4. ことしりゅうこうしているちゃいろのセーターにきめました。

5. ごご３じから５かいのかいぎしつでうちあわせをおこないます。

6. けさのしんぶんにおもしろいとうしょがあった。

7. このかわはふかくて、ながれがきゅうです。

ユニット３ ･･････････････････････････････ 読み物

＜指の話＞

手を見てください。指が五本ありますね。日本語では、一番大きい指を「親指（おやゆび）」といいます。その次の指は「人さし指（ひと　ゆび）」です。人を指すときに使うからです。一番小さい指を「小指」、まん中の指を「中指」といいます。中指と小指の間にあるのは「薬指」です。薬をつけるときに使うからです。日本では、結婚している人は左手の薬指に指輪（ゆび）をしていることが多いです。（わ）

＊指輪（ゆびわ）　ring

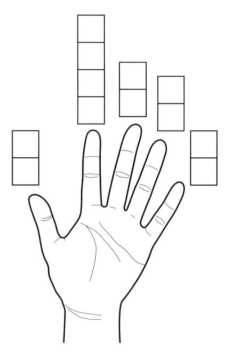

[質問]

1. 絵を見て、指の名前を書きなさい。（え）

2. あなたの言語でそれぞれの指を何といいますか。

3. 次の指の形はどんな意味でしょうか。（い　み）

a. 　　b. 　　c.

書いてみよう　日本では数を数えるとき、指を使います。1から10まで数えるときは1で親指を折って、2で人さし指、3で中指、4で薬指を折り、5でぜんぶ折ります。次に、6で小指を広げます。7で薬指、8で中指、9で人さし指と広げていき、10で指をぜんぶ広げます。

あなたの国ではどうやって数えますか。

復習
ふく しゅう
Review Lesson 26-30

N： 春　夏　秋　冬　天(気)　熱　温(度)　仕事

(医)者　記者　運転(手)　議員　商業　農業

(工)業　(会)議　(本)当　(間)違い　点　次

形　味　指　(意)味　試験　試合　(結)果

A： 暑い　熱い　寒い　冷たい　暖かい　温かい

涼しい　良い　悪い　正しい　難しい　深い

NA： 適当な　残念な

V： 冷やす　受ける　落ちる　残る　流れる　消す

決める　指す　折る　投げる　打つ　払う

洗う　選ぶ　違う　当たる　合う

VN： (食)事する　運転する　記(入)する　面接する

説(明)する　合格する　決(定)する　流(行)する

(経)験する

Others： 同じ　　　　　　　　　　　　　(58字)

Ⅰ. 次の漢字語は、「する」をつけて動詞として使うことができますか、
「な」をつけて形容詞として使うことができますか。両方できないときは、
「×」と書きなさい。

1. 適当（　　　）　　　　11. 意味（　　　　）

2. 試験（　　　）　　　　12. 決定（　　　　）

3. 左折（　　　）　　　　13. 同意（　　　　）

4. 洗面（　　　）　　　　14. 残念（　　　　）

5. 結果（　　　）　　　　15. 受験（　　　　）

6. 指定（　　　）　　　　16. 形式（　　　　）

7. 面接（　　　）　　　　17. 消火（　　　　）

8. 困難（　　　）　　　　18. 冷静（　　　　）

9. 流行（　　　）　　　　19. 仕事（　　　　）

10. 記事（　　　）　　　　20. 運転（　　　　）

Ⅱ. 次の形容詞とペアになることばを書きなさい。

Ex. 長い　↔　（　　短い　　）

1. 正しい　　　←→　（　　　　　　）

2. やさしい　←→　（　　　　　　）

3. 悪い　　　←→　（　　　　　　）

4. 温かい　　←→　（　　　　　　）

5. 寒い　　　←→　（　　　　　　）

6. 涼しい　　←→　（　　　　　　）

Ⅲ. 次の□に漢字を書きなさい。

形が似ている漢字 Similar-looking kanji

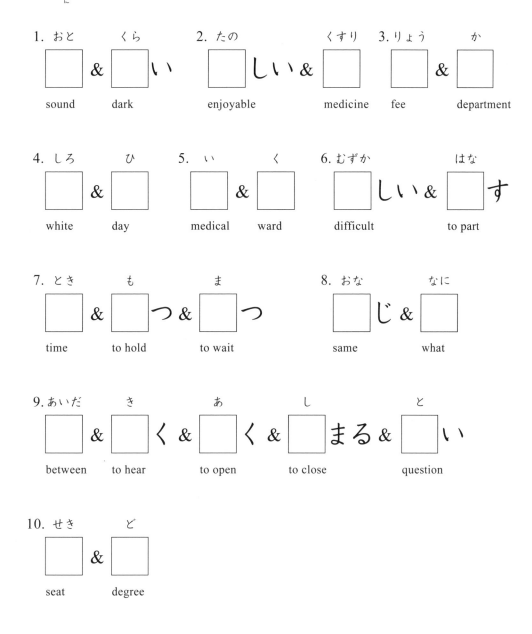

1. おと ＆ くら
   □ & □ い
   sound dark

2. たの ＆ くすり
   □ しい & □
   enjoyable medicine

3. りょう ＆ か
   □ & □
   fee department

4. しろ ＆ ひ
   □ & □
   white day

5. い ＆ く
   □ & □
   medical ward

6. むずか ＆ はな
   □ しい & □ す
   difficult to part

7. とき ＆ も ＆ ま
   □ & □ つ & □ つ
   time to hold to wait

8. おな ＆ なに
   □ じ & □
   same what

9. あいだ ＆ き ＆ あ ＆ し ＆ と
   □ & □ く & □ く & □ まる & □ い
   between to hear to open to close question

10. せき ＆ ど
    □ & □
    seat degree

同じ音の漢字 Kanji of the same 'ON' reading

1. えい が ＆ えい ご
   □ 画 & □ 語
   movie English

2. かく すう ＆ ごう かく
   □ 数 & 合 □ する
   the No. of strokes to pass
   (in a kanji)

3. しゃ しん　　しん しつ

写□ & □室

photograph　　bedroom

4. しん ぶん　　しん せつ

□聞 & □切な

newspaper　　kind

5. びょう いん　　ぎ いん

病□ & 議□

hospital　　member of the Diet

6. しょう にん　　しょう か

□人 & □火する

merchant　　to extinguish a fire

7. けい しき　　けい ざい　　と けい

□式 & □済 & 時□

form　　economy　　clock

8. し けん　　い けん

試□ & 意□

examination　　opinion

9. めん せつ　　せつ めい

面□ & □明

interview　　explanation

10. ざん ねん　　らい ねん

残□な & 来□

regrettable　　next year

11. ちゅうしょく　　ちゅうごく

□食 & □国

lunch　　China

ほかにも音読みが同じ漢字はたくさんあります。この本の終わりに
「音訓索引」がありますから、さがしてみましょう。
　おんくんさくいん

第 31 課
だい か

ユニット1 .... 漢字の話

❀ **旅行**（Travel） ....
りょこう

新幹線特急券・新婚旅行・グループ旅行・ホテル・航空券のご予約と旅の
しんかん　　とっきゅう　　　　　　　　　　　　　　　　　　　こうくうけん　　よやく　　たび
ご相談は駅の旅行センターへどうぞ。
そうだん

1泊2日
いっぱく　ふつか

～発
はつ

～着
ちゃく

日帰り
ひがえ

山中温泉の旅

● 1泊2日／特急指定席または自由席
● 出 発 日／9月1日～11月30日

日程	コース	食事
1日目	東京駅発━━（新横浜）━━（名古屋）━━加賀温泉駅━━山中温泉（泊）	夕
2日目	山中温泉━━加賀温泉駅━━（名古屋）━━（新横浜）━━東京駅着	朝

旅行代金（1名様）

	JR利用	
	平日・休日発	休前日発
4～5名1室	37,600円	41,000円
3名1室	39,800円	43,200円
	43,000円	46,400円
	22,400円	24,600円

鎌倉 花の寺 めぐり **と** 港ヨコハマ **中国料理** フルコース

日帰り
添乗員同行

▶旅行代金／大人1名様
8,300円より
小人1名様
7,800円より

▶集合場所／東京駅丸の内南口　8時10分
▶募集人員／各回44名（最小遂行人員25名）

行程表
8:10　　8:30　　　9:00
東京駅
丸の内南口集合　　出発━東名・横浜横須賀道路━鎌倉鶴岡八幡宮
（自由行動）

ゆったりスペースで
ご旅行相談
■ **国内旅行**
■ **海外旅行**
■ **日帰り1day**プラン

85

ユニット2 ···························· 第31課の基本漢字

2-1 漢字の書き方

漢字	意味	くんよみ	オンヨミ	（画数）
346 旅	travel	たび	リョ	（10）

ヽ　ｰ　宀　方　方　扩　扩　旅　旅　旅

旅（たび）trip
旅行（りょ・こう）する　to travel
旅費（りょ・ひ）traveling expenses
旅館（りょ・かん）Japanese-style inn

347 約	promise about		ヤク	（9）

く　乡　幺　糸　糸　糸　糾　約　約

約束（やく・そく）する　to promise
予約（よ・やく）する　to reserve
約（やく）〜　about 〜
婚約（こん・やく）engagement

348 案	idea proposal		アン	（10）

ヽ　宀　宀　宀　安　安　安　安　案　案

案（あん）idea, proposal
名案（めい・あん）good idea
案内（あん・ない）する　to guide
提案（てい・あん）する　to propose

漢字	意味	くんよみ	オンヨミ	（画数）

349 準　standard　semi-　　　　ジュン　（13）

丶　冫　氵　氵　汀　汀　汀　沖　泩　准　准　準　準

準備（じゅん・び）する　to prepare　　　水準（すい・じゅん）level, standard

準急（じゅん・きゅう）semi-express (train)

350 備　provide　　　ビ　（12）

ノ　イ　イ　イ　伴　伴　併　併　備　備　備　備

設備（せつ・び）equipment　　　準備（じゅん・び）preparation

予備（よ・び）spare, reserve

351 相　each other　minister　　　あい　　　ソウ　ショウ　（9）

一　十　オ　木　机　机　机　相　相

相手（あい・て）partner, opponent　　　首相（しゅ・しょう）the prime minister

相談（そう・だん）する　to consult　　　外相（がい・しょう）the foreign minister

352 談　talk　　　ダン　（15）

丶　二　二　言　言　言　言　計　診　談　談　談　談

談

対談（たい・だん）one on one discussion　　　談話室（だん・わ・しつ）lounge

会談（かい・だん）する　to hold talks

漢字	意味	くんよみ	オンヨミ	(画数)

353 連　link　つ-れる　レン　(10)

一 一 � 亘 亘 亘 車 連 連 連

連(つ)れてくる to bring (someone)　　国連(こく・れん) the United Nations
連(つ)れていく to take (someone)　　連日(れん・じつ) day after day

354 絡　entangle　ラク　(12)

く 幺 幺 糸 糸 糸 紁 紁 絡 絡 絡

連絡(れん・らく)する to contact, to inform
連絡先(れん・らく・さき) contact information

355 泊　stay　と-まる／と-める　ハク／-パク　(8)

丶 丶 氵 氵 汩 泊 泊 泊

泊(と)まる to stay (the night)　　～泊(はく)する to stay ～ nights
宿泊(しゅく・はく)する to stay (overnight)　　三泊(さん・ぱく) three night stay

356 特　special　トク／トッ-　(10)

丿 午 牛 牛 牜 牜 牪 特 特

特(とく)に especially　　特急(とっ・きゅう) limited express (train)
特別(とく・べつ)な special　　特色(とく・しょく) characteristic

漢字	意味	くんよみ	オンヨミ	(画数)
357 急	hurry	いそ-ぐ	キュウ	(9)

ノ ク ゥ ゥ ゥ ゥ 急 急 急

急(いそ)ぐ to hurry　　　　　　急用(きゅう・よう) urgent business

急(きゅう)に suddenly　　　　　　急行(きゅう・こう) express (train)

2-2 読み練習

Ⅰ. 次の漢字の読み方をひらがなで書きなさい。

1. 急ぐ　　2. 泊まる　　3. 特に　　4. 急に　　5. 連絡する

6. 旅行する　　7. 予約する　　8. 案内する　　9. 準備する

10. 相談する

Ⅱ. 次の文を読んでみましょう。

1. 準急と急行と特急の中で、どれが一番速いですか。

2. ホテルの特別室を電話で予約した。
   べつ

3. 案内所の人は、そこには旅館が約30あると言った。

4. 友だちに相談して、泊まる所を決めた。

5. 連絡先の住所と電話番号をここに書いてください。

6. この国は教育水準が高い。

7. 北海道旅行は楽しかった。特に料理がすばらしかった。

8. 映画が始まりますから、急いでください。

9. 夏休みに子どもを連れて海外旅行に行きます。

2-3 書き練習 ···

Ⅰ. 次の□に適当な漢字を書きなさい。

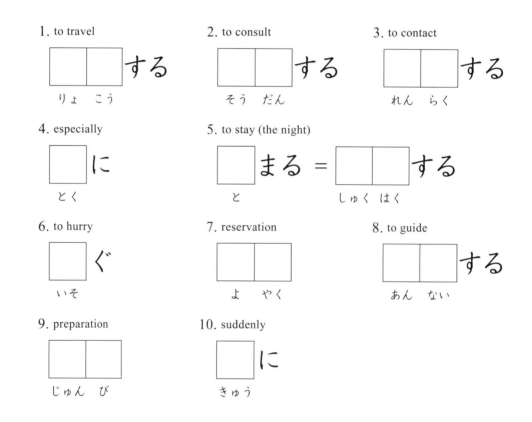

1. to travel
□□する
りょ こう

2. to consult
□□する
そう だん

3. to contact
□□する
れん らく

4. especially
□に
とく

5. to stay (the night)
□まる ＝ □□する
と　　しゅく はく

6. to hurry
□ぐ
いそ

7. reservation
□□
よ やく

8. to guide
□□する
あん ない

9. preparation
□□
じゅん び

10. suddenly
□に
きゅう

Ⅱ. ことばの意味をかんがえて、適当な漢字を書いてみましょう。

1. trip
□
たび

2. tourist
□□□
りょ こう しゃ

3. traveling expenses
□費
りょ ひ

4. Japanese-style inn

☐☐
りょ　かん

5. to stay two nights

☐☐する
に　はく

6. to take someone

☐れていく
つ

7. contact by telephone

☐☐☐☐
でん　わ　れん　らく

8. equipment

設☐
せつ　び

9. partner

☐☐
あい　て

10. promise

☐束
やく　そく

11. information office

☐☐☐
あん　ない　しょ

12. idea

☐
あん

13. standard

☐☐
すい　じゅん

14. semi-express (train)

☐☐
じゅんきゅう

15. express (train)

☐☐
きゅう　こう

16. limited express (train)

☐☐
とっ　きゅう

17. characteristic

☐☐
とく　しょく

Ⅲ．次の文を習った漢字を使って書きましょう。

1. きょうとのりょかんをよやくしました。

2. せんせいにいそいでれんらくしたいことがあるんですが。

3. つぎのえきでとっきゅうをおりて、きゅうこうにのりかえます。

4. らいねんアメリカにりゅうがくするよていです。

5. キャンプじょうにとまりますから、じゅんびをしてきてください。

ユニット3 ・・・・・・・・・・・・・・・・・・・・・・・・・・・・・・・・・・・・・ 読み物

<関西旅行>

　夏休みに京都と奈良へ行った。行く前に、友だちの山本さんにいろいろ相談
した。山本さんは日本の古い歴史を勉強しているから、京都や奈良へ何回も行っ
たことがある。ガイドブックや地図を貸してもらい、電話で旅館を予約した。

　京都はガイドブックを見て一人で見物した。夏休みだから、若い学生がたく
さんいてにぎやかだった。その晩は清水寺の近くの安い旅館に泊まった。

　奈良では、駅から山本さんの友だちの川田さんという人に連絡した。川田さ
んは駅までむかえに来てくれて、あちらこちら車で案内してくれた。京都にも
古いものがたくさんあるが、奈良はもっと古い。特に、薬師寺が良かった。静
かなお寺で1200年も前にここに住んでいた人たちのことを思った。本物のお
寺や仏像は、写真よりずっとずっとすばらしかった。

＊関西　the Kansai region	奈良　Nara
貸してもらい、＝貸してもらって、to have ~ lent to you (to borrow)	
清水寺　Kiyomizu-dera (Temple)	むかえに来る　to come to see
薬師寺　Yakushiji Temple	～のことを思う＝～について思う　to think about ~
本物の　real	仏像　statue of Buddha

[質問]　次の文を読んで、この人が一番はじめにしたことから番号をつけなさい。

　　　（　　　　）奈良駅で川田さんに会った。

　　　（　　　　）電話で旅館を予約した。

　　　（　　　　）清水寺の近くの旅館に泊まった。

　　　（　　　　）薬師寺が一番いいと思った。

　　　（　　　　）一人で京都を見物した。

　　　（　　　　）川田さんに電話をかけた。

　　　（　1　）山本さんにガイドブックや地図を借りて旅行の準備をした。

　　　（　　　　）川田さんの車で奈良を案内してもらった。

　　　（　　　　）京都へ行った。

＜旅行パンフレット (Travel Pamphlet)＞

下の「角館・弘前と十和田湖」のツアーのパンフレットを見てください。
かくのだて　ひろさき　　とわだこ

[問題]　主人と私、小学生の子どもの３人で旅行しますが、主人の休みは毎週
日曜日と第１月曜日、第３月曜日です。

祝日 (national holiday) と合わせて、３日間で旅行するには、出発日はいつ
しゅくじつ
がいいですか。また、旅行のお金はいくらかかりますか。

第 32 課
だい　か

ユニット 1 ‥‥‥‥‥‥‥‥‥‥‥‥‥‥‥‥‥‥‥‥‥‥‥ 漢字の話

駅などで見る表示（Transportation）
ひょうじ

　私たちは、バス、電車、タクシー、船、飛行機などいろいろな交通機関を
ふね　ひこうき
利用します。そして、その時、いろいろな漢字を見ます。

~線　~ Flight　　　　国内線　Domestic Flights
せん　　　　　　　　こくないせん

出発　Departure　↔　到着　Arrival
しゅっぱつ　　　　　　とうちゃく

案内　Guide
あんない

終日禁煙　No Smoking at Any Time
しゅうじつきんえん

連絡口　Transfer (to Yokohama Station)
れんらくぐち

〜線　〜Line
せん

山手線
やまのてせん

〜方面　In the direction of 〜
ほうめん

目黒・品川・東京方面
め ぐろ　しながわ　とうきょうほうめん

内回り　Inner track (counter-clockwise)
うちまわ

外回り　Outer track (clockwise)
そとまわ

〜番線　Platform 〜
ばんせん

下り　Outbound (heading away from Tokyo)
くだ

上り　Inbound (heading toward Tokyo)
のぼ

歩行者に注意
ほこうしゃ　ちゅうい
Caution: Pedestrians

歩行者通路
ほこうしゃつうろ
Pedestrian Path

入口
いりぐち
Entrance

この信号右折
しんごう
Turn right at this traffic light.

ユニット2 ･････････････････････････ 第32課の基本漢字

2-1 漢字の書き方

	漢字	意味	くんよみ	オンヨミ	(画数)
358	線	line		セン	(15)

く 幺 幺 糸 糸 糸 糸 糸 糸 糸 糸 糸 線 線
線

線 (せん) line 　　　　　　　　曲線 (きょく・せん) curved line
〜線 (せん) 〜 line 　　　　　　直線 (ちょく・せん) straight line

359	発	start		ハツ／ハッ- -パツ	(9)

フ ヌ ヌ' 癶 癶 癶 癶 発 発

出発 (しゅっ・ぱつ) する to depart 　　発売 (はつ・ばい) sale
発表 (はっ・ぴょう) する to announce 　発行 (はっ・こう) publication

360	到	arrive		トウ	(8)

一 丆 云 云 至 至 到 到

到達 (とう・たつ) する to reach, to arrive
到着 (とう・ちゃく) する to arrive

漢字	意味	くんよみ	オンヨミ	（画数）

361 交 cross / exchange — ま-じる / まじ-わる — コウ (6)

｀ 一 亠 六 交 交

交（ま）じる to mix
交（まじ）わる to intersect, to associate
交通（こう・つう）traffic
外交（がい・こう）diplomacy

362 機 machine / chance — キ (16)

一 十 才 木 木 杉 松 松 松 松 楼 楼 機 機 機

機械（き・かい）machine
機能（き・のう）function
飛行機（ひ・こう・き）airplane
機会（き・かい）opportunity, chance

363 関 barrier / relate, joint — カン (14)

｜ 厂 厂 尸 尸 門 門 門 門 門 門 関 関

関係（かん・けい）する to be related
関東地方（かん・とう・ち・ほう）the Kanto region
機関（き・かん）engine, facility

364 局 section / bureau — キョク (7)

｀ 弓 尸 局 局 局 局

テレビ局（きょく）TV station
郵便局（ゆう・びん・きょく）post office
放送局（ほう・そう・きょく）broadcasting station

漢字	意味	くんよみ	オンヨミ	（画数）

365 信　believe / message　　シン　（9）

ノ　イ　イ　仁　仨　信　信　信　信

信(しん)じる to believe　　　　信号(しん・ごう) traffic light, signal

信用(しん・よう)する to trust　　通信(つう・しん) correspondence, communication

366 路　road　　ロ　（13）

丶　口　口　足　足　足　足　趵　趵　路　路　路

線路(せん・ろ) railroad track　　　通路(つう・ろ) passage

道路(どう・ろ) road, street　　　　進路(しん・ろ) course

367 故　old / deceased / obstacle　　コ　（9）

一　十　十　古　古　古　古　故　故

故人(こ・じん) the deceased　　　事故(じ・こ) accident

故障(こ・しょう)する to break down

368 注　pour / focus　　チュウ　（8）

丶　冫　氵　氵　汀　汁　注　注

注意(ちゅう・い)する to be careful　　注文(ちゅう・もん)する to order

注(ちゅう) (explanatory) notes　　　注目(ちゅう・もく)する to pay attention

漢字	意味	くんよみ	オンヨミ	（画数）

369

| 意 | mind
meaning | | イ | （13） |

意 ー ー ー ー 立 产 音 音 音 音 意 意 意

意見（い・けん）opinion　　　　　意味（い・み）meaning

意識（い・しき）consciousness, awareness　　意志（い・し）will

2-2 読み練習 ....

Ⅰ. 次の漢字の読み方をひらがなで書きなさい。

1. 線　　2. テレビ局　　3. 道路　　4. 意見　　5. 注意する

6. 出発する　　7. 到着する　　8. 発売する　　9. 信じる

10. 関する　　11. 交通事故　　12. 交通機関

Ⅱ. 次の文を読んでみましょう。

1. 10時にここを出発して、午後1時ごろ旅館に到着する予定だ。

2. 高速道路で交通事故があった。

3. この歩道橋を渡って、まっすぐ行くと、線路に出ます。
　　　きょう

4. ここには政府の研究機関がたくさんある。

5. 信号が青になるまで待ちましょう。

6. 日本料理と日本酒を注文します。

7. 1923年に関東地方に大きい地震がありました。
　　　　　　　　　　　　　　　　じ しん

8. いい機会ですから、相手の意見を注意して聞いてください。

9. 今一番よく使われている通信機関は何ですか。

10. 次の急行電車の発車時間は午前九時です。

2-3 書き練習 ··

Ⅰ. 次の□に適当な漢字を書きなさい。

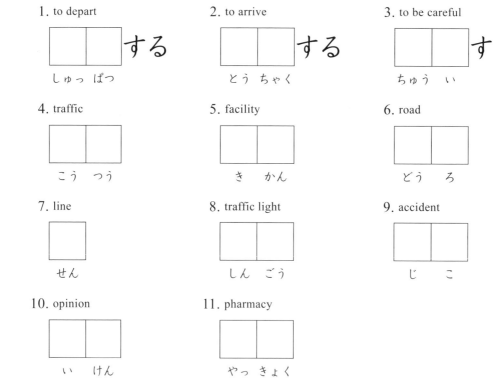

1. to depart
□□する
しゅっ ぱつ

2. to arrive
□□する
とう ちゃく

3. to be careful
□□する
ちゅう い

4. traffic
□□
こう つう

5. facility
□□
き かん

6. road
□□
どう ろ

7. line
□
せん

8. traffic light
□□
しん ごう

9. accident
□□
じ こ

10. opinion
□□
い けん

11. pharmacy
□□
やっ きょく

Ⅱ. ことばの意味をかんがえて、適当な漢字を書いてみましょう。

1. straight line

ちょく　せん

2. railroad track

せん　ろ

3. the Tokaido line

とう　かい　どう　せん

4. sale

はつ　ばい

5. diplomacy

がい　こう

6. airplane

ひ　こう　き

7. opportunity

き　かい

8. to be related to

かん　けい

9. the Kanto region

かん　とう　ち　ほう

10. to believe

しん

11. to order

ちゅう　もん

12. breakdown

こ　しょう

13. post office

ゆう　びん　きょく

Ⅲ. 次の文を習った漢字を使って書きましょう。

1. このバスは、くじきゅうふんにとうちゃくするよていです。

2. このすうねん、こうつうじこがすくなくなりました。

3. かんとうちほうは、ごごからあめがふるでしょう。

4. くるまにちゅういしてください。

5. このみちは、しんごうがおおいですね。

ユニット3 …………………………………………… 読み物

＜日記：残念な土曜日＞

○月×日（土）

　大学のときの友人がメールをくれた。彼女は海外で働いているので、なかなか会う機会がない。今週は日本にいるそうなので、ひさしぶりに飲もうと今日の夕方6時半に会うことになった。

　インターネットで乗る電車の時間をチェックした。出発の駅と目的の駅を入れ、それから到着時刻を6時15分と入力した。すると、5時12分の電車に乗ると、6時8分に着くことがわかった。本当に便利だ。

　5時前に家を出て駅の近くまで来たら、駅前の道路は車がぜんぜん動いていなかった。交通事故かなと思って見回すと、線路の上にトラックが2台止まっている。たくさんの人が見ていて、テレビ局のカメラも来ていた。大きな事故だったらしい。

　仕方がないので、彼女にメールして、事故のことを説明した。「1時間待ってみるけど、それでも電車が動かなかったら、キャンセルしよう」と書いた。結局、電車が動いたのは2時間後だった。今度彼女が日本に帰ってくるのは来年なので、その時会おうと約束した。会いたかったのに会えなくて、今日は本当に残念な土曜日だった。

　＊時刻 time　　　　目的の駅 destination　　　約束する to promise
　　じこく　　　　　　もくてき　　　　　　　　　　やくそく

［質問］

　1. どうしてその友人にはなかなか会う機会がありませんか。

　2. 出発の駅から目的の駅までおよそ何分かかりますか。

　3. どうして道路の車が動いていませんでしたか。

　4. 友人にはいつ会うことになりましたか。

知っていますか　できますか

＜時刻表 (Train Schedules) の調べ方＞

乗換　transfer
のりかえ

時刻　time
じこく

運賃　fare
うんちん

出発地　point of departure
しゅっぱつち

目的地　destination
もくてきち

日付　date
ひづけ

出発時刻　time of departure
しゅっぱつじこく

到着時刻　time of arrival
とうちゃくじこく

平均所要時間
へいきんしょうようじかん
　　average time to destination

表示件数
ひょうじけんすう
　　number displayed

検索する　to search
けんさく

経路　route
けいろ

出発日　date of departure
しゅっぱつび

発着時間
はっちゃくじかん
　　time of departure/arrival

所要時間
しょうようじかん
　　total time to destination

乗車時間　time on board
じょうしゃじかん

乗換回数
のりかえかいすう
　　number of transfers

距離　distance
きょり

合計金額　total amount
ごうけいきんがく

103

第33課
だい　　か

ユニット1 ··· 漢字の話

☀ 町で見る表示 （Miscellaneous Signs）
ひょうじ

（国立劇場への）案内図
こくりつげきじょう　　　あんない ず
Area Map (with directions to the National Theatre)

ご自由にお取りください　Please take one.
じゆう　　　と

毎月最終金曜発行
まいつきさいしゅうきんようはっこう
(new issue) released on the
last Friday of every month

ご自由にお持ちください。　Please take one.
じゆう　　　も

営業中 open
えいぎょうちゅう

定休日 regular closing days
ていきゅう び

臨時休業 closed temporarily
りん じ きゅうぎょう

準備中 open later today
じゅん び ちゅう

お知らせ Information

国立劇場終了時は
大変混雑いたします。
お帰りのきっぷは
お早めにお求めください。

お知らせ
し
information

国立劇場終了時は大変混雑いたします。
こくりつげきじょうしゅうりょう じ　　　　たいへんこんざつ
Following the end of performances at the National Theatre, this area becomes very congested.

お帰りのきっぷは
かえ
お早めにお求めください。
はや　　　　もと
Please buy your return ticket in advance.

自動
じどう
automatic

押して下さい
お　　くだ
Please push.

引く
ひ
pull

お客様へのお願い
きゃくさま　　　ねが
to our customers

お静かに願います
しず　ねが
Please be quiet.

アイドリングストップに
ご協力願います
きょうりょくねが
Please refrain from running your engine out (of consideration for our neighbors).

notice in parking lot

105

ユニット2 ‥‥‥‥‥‥‥‥‥‥‥‥‥‥ 第 33 課の基本漢字

2-1 漢字の書き方 ‥‥‥‥‥‥‥‥‥‥‥‥‥‥‥‥‥‥‥‥‥‥‥‥‥‥‥‥‥‥

漢字	意味	くんよみ	オンヨミ	（画数）

370

押 | press
push | お-す | | (8)

一 十 オ オ 扣 押 押 押

押（お）す to push

押（お）し入（い）れ＝押入れ＝押入 built-in closet

371

引 | pull
draw | ひ-く | イン | (4)

フ コ 弓 引

引（ひ）く to pull, to draw

引（ひ）き出（だ）し drawer

引力（いん・りょく）gravity

引用（いん・よう）する to quote, to cite

372

割 | divide | わ-れる　わり
わ-る | カツ | (12)

丶 宀 宀 宀 中 宇 宝 害 害 害 割 割

割（わ）る to break, to divide

割合（わり・あい）rate, ratio

一割引（いち・わり・び）き 10% discount

分割（ぶん・かつ）division

漢字	意味	くんよみ	オンヨミ	（画数）

373 営 — manage — エイ （12）

丶 丷 ⺍ ⺍ 学 学 学 学 学 営 営 営

営業(えい・ぎょう)する to do business

経営(けい・えい)する to manage, to run

運営(うん・えい)する to manage

市営(し・えい)バス municipal bus

374 自 — self — ジ （6）

ノ 亻 白 白 自 自

自宅(じ・たく) one's home

自分(じ・ぶん) oneself

自信(じ・しん) self-confidence

自由(じ・ゆう) freedom, liberty

375 由 — reason — ユ　ユウ （5）

丨 冂 巾 由 由

経由(けい・ゆ) via, by way of

理由(り・ゆう) reason

376 取 — take — と-る — シュ （8）

一 丆 斤 斤 耳 耳 取 取

取(と)る to take, to get

取(と)り引(ひ)き business

取材(しゅ・ざい)する to cover, to gather

取得(しゅ・とく)する to acquire

漢字	意味	くんよみ	オンヨミ	（画数）
377 求	request demand	も と-める	キュウ	（7）

一 十 寸 求 求 求 求

求（もと）める to ask (for)　　　　要求（よう・きゅう）する to demand
求人広告（きゅう・じん・こう・こく）help-wanted advertisement

378 願	wish request	ねが-う	ガン	（19）

一 厂 厂 厂 斤 斤 盾 盾 原 原 原 原 原 願
願 願 願 願 願

願（ねが）う to request, to wish　　　　願書（がん・しょ）application
願（ねが）い wish, request

379 知	know	し-る	チ	（8）

ノ 乍 乍 チ 矢 知 知 知

知（し）る to know, to find　　　　知識（ち・しき）knowledge
知（し）らせる to let know, to inform　　　通知（つう・ち）する to inform

2-2 読み練習 ·····································

Ⅰ. 次の漢字の読み方をひらがなで書きなさい。

1. 押す　　2. 引く　　3. 取る　　4. 割る　　5. 願う　　6. 知る

7. 求める　　8. 店を経営する　　9. 自分の家＝自宅

10. 自由な時間　　11. 理由

Ⅱ．次の文を読んでみましょう。

1. その会社と取り引きがあるかどうか知らない。

2. 次の式の答えを求めなさい。　　3. ベースアップを要求する。
ょう

4. 求人広告で仕事をさがす。　　5. 県知事にお願いがあります。
こく

6. 大学に入学願書を出す。　　7. 100 を 7 で割るといくつですか。

8. 着ない服は押し入れに、着る服は引き出しにしまう。

9. どんな理由があっても、遅れて来るのは悪い。

10. 来週の月曜日に知人がホンコン経由でシンガポールから来ます。

2-3 書き練習

Ⅰ．次の□に適当な漢字を書きなさい。

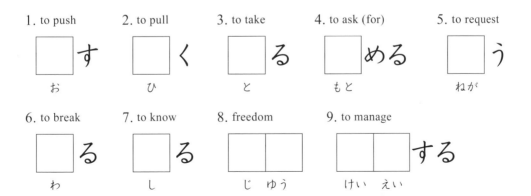

1. to push
□す
お

2. to pull
□く
ひ

3. to take
□る
と

4. to ask (for)
□める
もと

5. to request
□う
ねが

6. to break
□る
わ

7. to know
□る
し

8. freedom
□□
じ　ゆう

9. to manage
□□する
けい　えい

Ⅱ．ことばの意味をかんがえて、適当な漢字を書いてみましょう。

1. built-in closet
□ し □ れ
　お　　　　い

2. drawer
□ き □ し
　ひ　　　だ

3. ratio
□ □
わり　あい

4. to retire
□ 退する
　いん　たい

5. 10% discount
□ □ □ き
いち　わり　び

6. business
□ □
えい　ぎょう

7. reason
□ □
り　ゆう

8. by way of
□ □
けい　ゆ

9. my home
□ □
じ　たく

10. self-confidence
□ □
じ　しん

11. information
お □ らせ
　し

12. knowledge
□ 識
ち　しき

13. business
□ り □ き
と　　　ひ

14. application
□ □
がん　しょ

15. to demand
要 □ する
よう　きゅう

Ⅲ．次の文を習った漢字を使って書きましょう。

1. このドアは、おしてもひいてもあかない。

2. まどガラスをわったのはわたしです。

3. あのみせは、ごぜんくじからえいぎょうしている。

4. やすみのひは、じぶんのいえにいるのがいちばんすきだ。

5. しらないひとに「しゃしんをとってください」とおねがいした。

ユニット3 ・・・・・・・・・・・・・・・・・・・・・・・・・・・・・・・・・・・ 読み物

＜CDプレーヤー＞

　金曜日の夕方、会社の帰りに秋葉原へ行った。その週にボーナスをもらったので、前からほしかったCDプレーヤーを買うことにした。

　どの店も、とてもこんでいた。ぼくはいろいろなCDプレーヤーをくらべてみようと思って、一番大きい店に入った。

　でも、あれもこれもみんなほしくて、なかなか決められない。そこへ店員が来て「どうぞご自由にいろいろ聞いてみてください」と言った。

　A社のものと、B社のものを聞いてみた。A社のほうがデザインがいいし、8000円安いが、B社のほうが音がいい。

　考えていると、店員が「今、B社のものは、特別に割引きいたします。こちらは定価67000円ですが、今3割引きですよ」と言った。

　A社のものは2割しか引かないと言うので、B社のを買った。

　念願のCDプレーヤーを買って、本当にうれしかったので、「いい音楽を聞きにきませんか」と真理子さんに電話をした。

　駅で真理子さんと待ち合わせをして、いっしょに家に帰り、プレーヤーを取り出した。その時たいへんなことに気がついた。ディスクを買うのをすっかり忘れていた。

＊秋葉原　place name　　　考える　to think　　　定価　fixed price
　念願　one's dearest wish　気がつく　to notice　　忘れる　to forget

［質問］

　1. この人はどうして一番大きい店に入りましたか。

　2. A社のプレーヤーとB社のプレーヤーとでは定価はどちらが安いですか。

　3. どちらを買いましたか。

　4. いくらで買いましたか。

知っていますか できますか

＜漢字で遊ぶ (Kanji Pictures) ＞

いろいろなドア・サインです。意味をかんがえて、正しい漢字と読み方を
書きなさい。

例.
電話
| 電 | 話 |
（　でんわ　）

1.
（　　　　　　）

2.
（　　　　　　）

3.
（　　　　　　）

4.
（　　　　　　）

5.
| | | い |
（　　　　　　）

6.
（　　　　　　）

7.
（　　　　　　）

8.
| | か | に |
（　　　　　　）

9.
（　　　　　　）

10.
| | す |
（　　　　　　）

11.
| | く |
（　　　　　　）

（桑山弥三郎編『世界の絵文字 1970-83』pp.424-425 柏書房より）

第 34 課
だい か

ユニット1 ・・・・・・・・・・・・・・・・・・・・・・・・・・・・・ 漢字の話

物の名前と総称 （General Terms for Utensils）
そうしょう

はさみ　ホチキス　ファイル　　文具（＝文房具） stationery
ぶんぐ　　ぶんぼうぐ

たんす　本だな　食器だな　　家具 furniture
かぐ

ふとん　シーツ　まくら　　寝具 bedding
しんぐ

なべ　ポット　　台所用品 kitchen utensils
だいどころようひん

ほうちょう　フライパン

茶わん　グラス　フォーク　　食器 tableware
しょっき

コップ　皿　スプーン
さら

物をまとめていうときに使う漢字：

具（ぐ）：文具　家具　寝具　工具　農具

器（き）：食器　楽器　計器　花器　茶器

品（ひん→L35）：食料品　化粧品　日用品
けしょうひん

用品（ようひん）：スポーツ用品　ベビー用品　家庭用品
かてい

ユニット2 .... 第34課の基本漢字

2-1 漢字の書き方

漢字	意味	くんよみ	オンヨミ	(画数)

380 台 — board / stand — ダイ タイ (5)

ㄥ　厶　台　台　台

台(だい) board, stand　　台地(だい・ち) plateau
一台(いち・だい) one (counter for machines)　　台風(たい・ふう) typhoon

381 窓 — window — まど — ソウ (11)

窓(まど) window　　同窓会(どう・そう・かい) school reunion
窓口(まど・ぐち) window, counter

382 具 — tool / instrument — グ (8)

道具(どう・ぐ) tool, instrument　　家具(か・ぐ) furniture
具体的(ぐ・たい・てき)な concrete　　雨具(あま・ぐ) rain wear

漢字	意味	くんよみ	オンヨミ	(画数)

383 器 — container, tool | うつわ | キ | (15)

丿 口 口 口 吅 吅 叩 哭 哭 器 器 器 器

器

器(うつわ) container　　　　食器(しょっ・き) tableware

楽器(がっ・き) musical instrument　　器具(き・ぐ) utensil, appliance

384 用 — use, errand | もち-いる | ヨウ | (5)

丿 门 冂 月 用

用＝用事(よう・じ) errand, business　　用意(よう・い)する to prepare

用具(よう・ぐ) tool　　利用(り・よう)する to use

385 服 — clothes | | フク | (8)

丿 刀 月 月 肌 肌 服 服

服(ふく) clothes　　和服(わ・ふく) kimono, Japanese-style clothes

服用(ふく・よう)する to take (medicine)　　洋服(よう・ふく) Western-style clothes

386 紙 — paper | かみ | シ | (10)

く 幺 幺 糸 糸 糸 紅 紅 紙 紙

紙(かみ) paper　　手紙(て・がみ) letter

折(お)り紙(がみ) origami art　　表紙(ひょう・し) cover (of a book)

漢字	意味	くんよみ	オンヨミ	（画数）

387 辞　word, affix / resign　　ジ　　（13）

ノ　ニ　千　千　舌　舌　舌'　舌゙　舌ゞ　舌゚　辞゙　辞゚　辞

辞書（じ・しょ）dictionary＝辞典（じ・てん）　　辞退（じ・たい）する to decline

接辞（せつ・じ）affix

388 雑　rough / mixed　　ザツ／ザッ-　（ゾウ）　（14）

ノ　九　九　卆　杂　朵　架　杂'　杂゙　杂ゞ　雑゙　雑゚　雑　雑

雑音（ざつ・おん）noise　　　　　複雑（ふく・ざつ）な complicated

雑用（ざつ・よう）chores　　　　雑木林（ぞう・き・ばやし）thicket

389 誌　record / magazine　　シ　　（14）

ヽ　ニ　ニ　言　言　言　言　計　計　計　誌　誌　誌

雑誌（ざっ・し）magazine　　　　日誌（にっ・し）daily record

週刊誌（しゅう・かん・し）weekly magazine

2-2 読み練習 ．．

Ⅰ．次の漢字の読み方をひらがなで書きなさい。

1. 台所　　2. 道具　　3. 食器　　4. 辞書　　5. 洋服

6. 雑誌　　7. 楽器　　8. 用具　　9. 手紙　　10. 窓口

Ⅱ．次の文を読んでみましょう。

1. 家具売り場は5階で婦人服売り場は3階です。
　　　　　　　　　かい　　ふ じん　　　　　　　がい

2. 台風は毎年夏から秋に日本に来る。
　　ふう

3. 本、雑誌、辞書などを買うときは、大きい書店のほうが

　　いろいろ見て選べる。

4. 結婚する前に、新しい家具や食器を買った。

5. 日曜日は手紙を書いたり雑誌を読んだりしています。

6. 急行券は2番の窓口で買ってください。
　　　　けん

7. 紙人形を作るために折り紙とはさみとのりを用意する。

8. この台所は窓が大きくて明るい。

9. この薬は食後三十分たったら、服用してください。

2-3 書き練習 ....

Ⅰ. 次の□に適当な漢字を書きなさい。

1. board

だい

2. window

まど

3. paper

かみ

4. clothes

ふく

5. magazine

ざっ　し

6. letter

て　がみ

7. tool

どう　ぐ

8. tableware

しょっ　き

9. errand
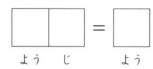
よう　じ　＝　よう

10. dictionary
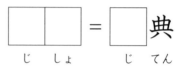
じ　しょ　＝　じ　てん 典

Ⅱ. ことばの意味をかんがえて、適当な漢字を書いてみましょう。

1. stationery

ぶん　ぐ

2. bedding

しん　ぐ

3. musical instrument

がっ　き

4. fire extinguisher

しょう　か　き

5. to use

もち いる

6. tool

よう　ぐ

7. to prepare

よう　い する

8. kitchen

だい どころ

9. plateau

だい　ち

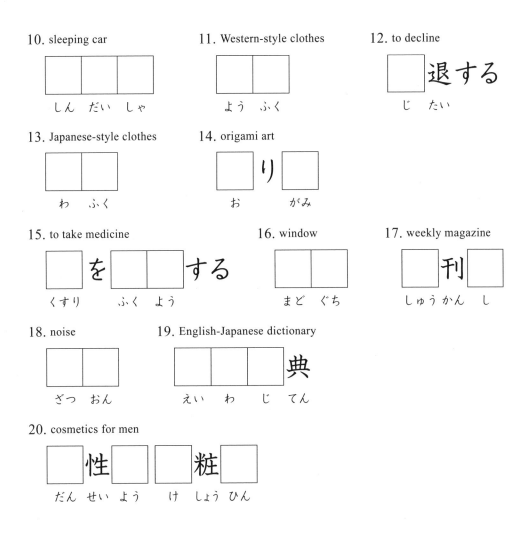

10. sleeping car

　しん　だい　しゃ

11. Western-style clothes

　よう　ふく

12. to decline

退する

　じ　たい

13. Japanese-style clothes

　わ　ふく

14. origami art

り

　お　　　がみ

15. to take medicine

を　　　する

　くすり　　ふく　よう

16. window

　まど　ぐち

17. weekly magazine

刊

　しゅう　かん　　し

18. noise

　ざつ　おん

19. English-Japanese dictionary

典

　えい　わ　じ　てん

20. cosmetics for men

性　　　粧

　だん　せい　よう　　け　しょう　ひん

Ⅲ. 次の文を習った漢字を使って書きましょう。

1. てんきがいいので、だいどころのまどをあけた。

2. けっこんしたとき、あたらしいかぐとしょっきをかった。

3. ざっしに、ことしりゅうこうしているふくがのっている。

4. じしょをみながら、にほんごでてがみをかいた。

5. ともだちがくるので、たべものやのみものをたくさんよういした。

ユニット3 ・・・・・・・・・・・・・・・・・・・・・・・・・・・・・・・ 読み物

＜結婚準備：男と女、どちらがたいへん？＞

　男女が結婚して新しい家庭を作る時には、いろいろな物を買わなければなりません。日本ではむかし、女の人が家具や寝具を用意しました。家具というのは、洋だんす、和だんすなどです。食器などの台所用品やいろいろな家庭用品も女の人が買いました。新しい洋服や和服も作らなければなりません。ですから、「むすめが三人いると、家がつぶれる」と言いました。

　一方、男の人は、婚約する時に月給の2か月分ぐらいのお金を女の人の家に渡しました。これを「結納」と言います。男の人は、二人が住む家も見つけなければなりませんでした。その家のお金は、男の人が払いました。

　今では結婚の準備も変わってきています。

　男と女、あなたの国では、どうですか。

＊家庭　home　　　　　　　　むかし　the old days　　　むすめ　daughter
　つぶれる　to go bankrupt　　一方　on the other hand　月給　(monthly) salary
　2か月分　two months' worth　変わる　to change

［質問］

　1. 男女が結婚する時、日本ではむかし、女の人は何をしなければなりませんでしたか。

　2. 男の人は、何をしなければなりませんでしたか。

　3. どうして「むすめが三人いると、家がつぶれる」と言ったのですか。

　4. 7行目の「これ」というのは、何ですか。

　5. 上の文を読んで、男と女、どちらがたいへんだったと思いますか。

（書いてみよう）あなたの国では、結婚するとき、男の人と女の人が何を準備するか
　　　　　　　書いてみましょう。

知っていますか できますか

＜デパートの店内案内 (Department Store Guide) ＞

R 屋上
おくじょう

5F キッチン用品　和食器　洋食器
寝具　家具

4F こども服　文房具[文具]　玩具
時計　メガネ　カメラ　楽器　スポーツ用品

3F 紳士服　紳士靴・鞄
紳士用品[ネクタイ・ベルト・帽子]　旅行用品

2F 婦人服
婦人用品[ハンカチ・ストッキング・帽子]

1F 化粧品　ハンドバッグ
婦人靴　かさ　婦人アクセサリー

B1 食料品[肉・魚・青果(野菜・果物)]
和洋酒　お茶　コーヒー
和菓子　洋菓子

5F　キッチン用品 Kitchen Utensils　　　和食器 Japanese Tableware
　　　洋食器 Western Tableware　　　寝具 Bedding　　　家具 Furniture

4F　こども服 Babies'/Children's Wear　　　文房具（文具）Stationery
　　　玩具 Toys　　　時計 Watches & Clocks　　　メガネ Eyewear　　　カメラ Cameras
　　　楽器 Musical Instruments　　　スポーツ用品 Sporting Goods

3F　紳士服 Men's Wear　　　紳士靴・鞄 Men's Shoes & Bags
　　　紳士用品 Men's Accessories ［ネクタイ Neckties　ベルト Belts　帽子 Men's Hats］
　　　旅行用品 Travel Accessories

2F　婦人服 Women's Wear　　　婦人用品 Women's Accessories ［ハンカチ Handkerchiefs
　　　ストッキング Hosiery　帽子 Women's Hats］

1F　化粧品 Cosmetics　　　ハンドバッグ Handbags　　　婦人靴 Women's Shoes
　　　かさ Umbrellas　　　婦人アクセサリー Jewelry

B1　食料品 Foods ［肉 Meat　魚 Fish　青果 Fresh Produce（野菜 Vegetables　果物 Fruits）］
　　　和洋酒 Alcoholic Beverages　　　お茶 Tea　　　コーヒー Coffee
　　　和菓子 Japanese Confectionery　　　洋菓子 Western Confectionery

［質問］

1. 次の物を買いたいときは、何階へ行けばいいですか。

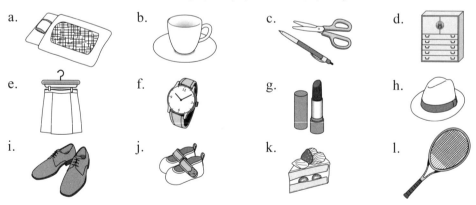

a.　　　b.　　　c.　　　d.

e.　　　f.　　　g.　　　h.

i.　　　j.　　　k.　　　l.

2. レストランは、何階にありますか。

3. お手洗いは、何階にありますか。

4. 売り場がわからないとき、どこへ行けばいいですか。

第35課
だい　　か

経済で使われる漢字（Economic Terminology）

銀行　bank
ぎんこう

資金　capital, funds
し きん

生産者　producer
せいさんしゃ

預金　deposit
よ きん

商品　goods, products
しょうひん

会社　company
かいしゃ

消費者　consumer
しょう ひ しゃ

代金　cost
だいきん

商店　store
しょうてん

個人　individual
こ じん

次のことばを例のように、わかりやすく言いかえなさい。

例. 生産する：ものをつくる

1. 生産者：

2. 産地＝生産地：

3. 産物＝生産物：

4. 消費する：

5. 消費者：

6. 物価：

7. 地価：

ユニット2 ‥‥‥‥‥‥‥‥‥‥‥‥‥‥‥‥ 第35課の基本漢字

2-1 漢字の書き方 ‥‥‥‥‥‥‥‥‥‥‥‥‥‥‥‥‥‥‥‥‥‥‥‥‥‥‥

漢字	意味	くんよみ	オンヨミ	（画数）

390 銀　silver　　ギン　（14）

ノ ハ ハ 乍 乍 乍 金 金 釤 釤 釤 鈤 銀 銀

銀（ぎん）silver　　　　水銀（すい・ぎん）mercury
銀行（ぎん・こう）bank　　銀座（ぎん・ざ）Ginza

391 資　capital fund resources　　シ　（13）

丶 丷 丷 氵 氵 次 次 咨 咨 咨 咨 資 資

資本（し・ほん）capital, funds　　投資（とう・し）する to invest
資料（し・りょう）data, materials　資格（し・かく）qualifications

392 品　article goods　　しな　　ヒン　（9）

丶 口 口 尸 品 品 品 品 品

品物（しな・もの）items, articles　　商品（しょう・ひん）goods, products
食料品（しょく・りょう・ひん）food　上品（じょう・ひん）な elegant

漢字	意味	くんよみ	オンヨミ	（画数）

393 個 — individual — コ (10)

ノ イ イ 化 佪 佪 個 個 個 個

個人（こ・じん）individual 　　個室（こ・しつ）private room
一個（いっ・こ）one (thing) 　　個々（ここ）の each, individual (object)

394 価 — price / value — カ (8)

ノ イ イ 仁 価 価 価 価

物価（ぶっ・か）(commodity) prices 　　高価（こう・か）な expensive
評価（ひょう・か）する to evaluate 　　価格（か・かく）price

395 産 — produce / give birth — う-まれる / う-む — サン (11)

ノ 亠 亠 立 立 产 产 产 产 産 産

産（う）む to give birth 　　生産（せい・さん）する to produce
産業（さん・ぎょう）industry 　　産地（さん・ち）producing region

396 期 — term / expect — キ (12)

一 十 廿 甘 甘 其 其 其 期 期 期 期

期間（き・かん）period 　　学期（がっ・き）academic semester
期待（き・たい）する to expect 　　定期（てい・き）commuter pass

漢字	意味	くんよみ	オンヨミ	（画数）

397 々 (symbol of repetition) (3)

ノ ク 々

人々（ひとびと）people 　 国々（くにぐに）various countries
先々週（せんせん・しゅう）the week before last 　 少々（しょうしょう）a bit, a few

398 報 report / inform　ホウ (12)

一 十 土 キ 吉 赱 赱 幸 幸 靮 報 報

報道（ほう・どう）news 　 予報（よ・ほう）forecast
電報（でん・ぽう）telegram 　 情報（じょう・ほう）information

399 告 announce　コク (7)

ノ 亅 牛 生 告 告 告

報告（ほう・こく）する to report 　 報告書（ほう・こく・しょ）report
広告（こう・こく）advertisement

2-2 読み練習

Ⅰ. 次の漢字の読み方をひらがなで書きなさい。

1. 個人　　2. 資本　　3. 銀行　　4. 商品　　5. 物価　　6. 人々

7. 生産する　　8. 報告する　　9. 期待する　　10. 広告

Ⅱ. 次の文を読んでみましょう。

1. 留学生のための日本語コースは、前期と後期に分かれている。

2. 人々は、デパートや個人の商店などでほしい品物を買う。

3. いろいろな品物の価格の平均(average)を「消費者物価」という。
へいきん　　　　　　　　　　　　　　　　ひ

4. あの店は、高価な商品も、定価の2割引きで売ります。

5. アジアの国々の生産システムについて、報告書を書いた。

6. 銀行から資金を借りて家を買ったが、返済がたいへんだ。

7. 品質の良い物を生産しても、価格が高ければ、売れない。

8. 新聞やテレビ、ラジオの広告を作る仕事は、第三次産業である。
だい

2-3 書き練習 ....

Ⅰ. 次の□に適当な漢字を書きなさい。

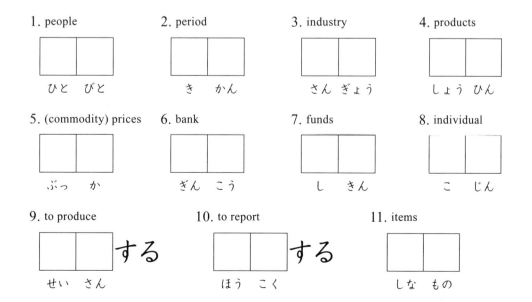

1. people
ひと　びと

2. period
き　　かん

3. industry
さん ぎょう

4. products
しょう ひん

5. (commodity) prices
ぶっ　　か

6. bank
ぎん こう

7. funds
し　きん

8. individual
こ　　じん

9. to produce
せい　さん　する

10. to report
ほう　こく　する

11. items
しな　もの

127

Ⅱ．ことばの意味をかんがえて、適当な漢字を書いてみましょう。

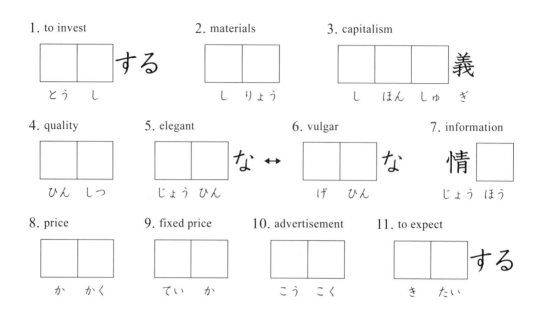

1. to invest

□□する
とう　し

2. materials

□□
し　りょう

3. capitalism

□□□義
し　ほん　しゅ　ぎ

4. quality

□□
ひん　しつ

5. elegant

□□な ↔
じょう ひん

6. vulgar

□□な
げ　ひん

7. information

情□
じょう　ほう

8. price

□□
か　かく

9. fixed price

□□
てい　か

10. advertisement

□□
こう　こく

11. to expect

□□する
き　たい

Ⅲ．次の文を習った漢字を使って書きましょう。

1. ぎんこうでかいしゃのしきんをかりた。

2. あのみせでは、いろいろなくにのしょくりょうひんがかえる。

3. このメロンは、いっこで5000えんもする。

4. とうなんアジアのにほんごきょういくについてほうこくがあります。

5. ことしのこめのせいさんは、きたいしたほどではなかった。

ユニット３ ・・・・・・・・・・・・・・・・・・・・・・・・・・・・・・・・・・ 読み物

＜買物すごろく (Shopping Game) ＞

　学生は、自分のコマに名前を書く。①自分の番になったら、さいころをふる。②目の数だけコマをすすめる。③止まったところの漢字を読み、そこで買える品物のカードをもらう。＊漢字が読めなければ、３つもどる。＊品物を３つ以上(いじょう)買って、はやく帰宅できた人が勝ち(か)（win）。

＊先生はこのページを拡大(かくだい)して、すごろく盤(ばん)を作り、また品物の名前を書いたカードを用意(ようい)してください。

復習
ふく しゅう

Review Lesson 31-35

N： 線　交(通)　機関　テレビ局　(道)路　(事)故

自由　台(所)　窓　用具　(食)器　(洋)服

(手)紙　辞(書)　雑誌　銀(行)　資(本)　(商)品

個(人)　(物)価　(人)々

Ad： 特に　急に

V： 泊まる　急ぐ　信じる　押す　引く　割る　取る

求める　願う　知る

VN：旅(行)する　(予)約する　案(内)する　準備する

相談する　連絡する　(出)発する　到(着)する

注意する　(経)営する　(生)産する　期(待)する

報告する　　　　　　　　　　　　　　　　(54字)

語構成 3 (Word Structure 3)
ご こうせい

漢字のことばの中には、次のような長いことばがあります。

漢字3字：図書館　食料品　小説家　新学期　古新聞　不親切

漢字4字：大学病院　入学試験　電話連絡

漢字5字：店内案内図　自動車工場　進学相談会

漢字6字：国立教育会館　経済情報雑誌　都市交通問題

それ以上：産業別労働人口　学校教育問題研究会

長い漢字のことばは小さい意味の単位(a meaningful unit)に分けることができます。
たん い

（□□）＋□：　　　　　　　　　　　意味の関係（relation）
　　　　　　　　　　　　　　　　　　かんけい

　外国人　　→　外国　＋　人　＝　外国の人

　研究所　　→　研究　＋　所　＝　研究する所

　物価高　　→　物価　＋　高　＝　物価が高いこと

□＋（□□）：

　古新聞　　→　古　＋　新聞　＝　古い新聞

　不合格　　→　不　＋　合格　＝　合格しないこと

　不親切　　→　不　＋　親切　＝　親切ではないこと

（□□）＋（□□）：

　国立病院　→　国立　＋　病院　＝　国立の病院

　有名大学　→　有名　＋　大学　＝　有名な大学

　勉強部屋　→　勉強　＋　部屋　＝　勉強する部屋

　料理上手　→　料理　＋　上手　＝　料理が上手なこと

　東京案内　→　東京　＋　案内　＝　東京を案内すること

　電話連絡　→　電話　＋　連絡　＝　電話で連絡すること

　自由行動　→　自由　＋　行動　＝　自由に行動すること

その他：

　不合格者　→　（不　＋　合格）＋　者　＝　合格しなかった者

　新宿駅前　→　（新宿　＋　駅）＋　前　＝　新宿の駅の前

　前都知事　→　前　＋（都　＋　知事）＝　前の(東京)都の知事

[練習]

Ⅰ．次の漢字のことばを小さい単位に分けて、意味の関係をかんがえなさい。

1. 新学期→   11. 予約席→

2. 営業中→   12. 研究室→

3. 国産品→   13. 有名人→

4. 台所用品→   14. 料理番組→

5. 都道府県→   15. 練習問題→

6. 海外生活→   16. 漢字学習→

7. 入学試験→   17. 電話予約→

8. 結婚資金→   18. 新入社員→

9. 大学院進学→   19. 落石注意→

10. 自動車生産台数→   20. 地下連絡口→

Ⅱ．ヒントを見て、□の中に適当な漢字を書きなさい。

 1.　京

 2.　産

[ヒント]

1.　たて｜地名
　　よこ｜地名

 3.　自

 4.　具

2.　たて｜する動詞
　　よこ｜農・工・商

3.　たて｜な形容詞
　　よこ｜自分で勉強すること

 5.　器

 6.　券

4.　たて｜ふとん・まくらなど
　　よこ｜ペン・ノートなど

5.　たて｜コップ・さらなど
　　よこ｜ピアノ・ギターなど

6.　たて｜通学用
　　よこ｜速い電車

第 36 課
<ruby>第<rt>だい</rt></ruby> 36 <ruby>課<rt>か</rt></ruby>

ユニット1　　　　　　　　　　　　　　　　　　　漢字の話

感情を表す漢字（Expressing Feelings）
<ruby>感情<rt>かんじょう</rt></ruby>を<ruby>表<rt>あらわ</rt></ruby>す漢字

<ruby>人間<rt>にんげん</rt></ruby>の<ruby>心<rt>こころ</rt></ruby>の動き、気持ち、<ruby>感情<rt>かんじょう</rt></ruby>をあらわす。

＜形容詞＞

楽(たの)しい

うれしい

＜動詞＞

笑(わら)う

喜(よろこ)ぶ

悲(かな)しい

さびしい

悲(かな)しむ

泣(な)く

恥(は)ずかしい to be ashamed, shy

こわい to be afraid

うらやましい envious

怒(おこ)る to get angry

驚(おどろ)く＝びっくりする to be surprised

うらやむ to envy

がっかりする to be disappointed

下の<ruby>絵<rt>え</rt></ruby>を見て、どんな気持ちか、<ruby>考<rt>かんが</rt></ruby>えてください。

1.

2.

3.

4.

5.

6.

7.

ユニット２ .... 第 36 課の基本漢字

2-1 漢字の書き方 ....

漢字	意味	くんよみ	オンヨミ	（画数）

400 心　heart　　こころ　　シン　（4）

ノ　心　心　心

心（こころ）heart, mind 　　　　心理学（しん・り・がく）psychology
心配（しん・ぱい）する to worry 　　関心（かん・しん）interest

401 感　feel / sense　　　　カン　（13）

ノ　厂　厂　厉　后　咸　咸　咸　咸　感　感　感

感（かん）じる to feel 　　　　感心（かん・しん）する to be impressed
感覚（かん・かく）sense 　　　感謝（かん・しゃ）する to thank

402 情　emotion / condition　　なさ-け　　ジョウ　（11）

ノ　ハ　忄　忄　忭　忭　情　情　情　情

情（なさ）けない miserable 　　　情報（じょう・ほう）information
感情（かん・じょう）feelings 　　愛情（あい・じょう）love, affection

漢字	意味	くんよみ	オンヨミ	（画数）

403 悲 — sad — かな-しい / かな-しむ — ヒ （12）

ノ ナ ヲ ヺ 非 非 非 非 非 悲 悲 悲

悲（かな）しい sad

悲（かな）しむ to feel sad

悲劇（ひ・げき）tragedy

404 泣 — cry — な-く （8）

丶 丶丶 氵 氵 汁 汁 泣 泣

泣（な）く to cry, to weep

泣（な）き声（ごえ）cry, sob

＊ animal's cry = 鳴（な）く

405 笑 — laugh — わら-う — ショウ （10）

ノ 𠂉 ⺮ 𥫗 竹 竹 竺 竺 竺 笑

笑（わら）う to laugh, to smile

笑（わら）い laughter

＊笑顔（え・がお）smile

苦笑（く・しょう）する to smile wryly

406 頭 — head — あたま — トウ / ズ （16）

一 𠄌 口 口 戸 豆 豆 豆 豇 頭 頭 頭 頭

頭 頭

頭（あたま）head

頭痛（ず・つう）headache

頭金（あたま・きん）down payment

頭部（とう・ぶ）the head

漢字	意味	くんよみ	オンヨミ	（画数）

407 覚 — awake / sense — さ-める　おぼ-える　さ-ます — カク — （12）

` ゛ ゛ ゛ 学 学 学 学 学 学 覚 覚

覚(おぼ)える　to memorize 　　感覚(かん・かく)　sense

目覚(め・ざ)まし時計(どけい)　alarm clock 　　知覚(ち・かく)　perception

408 忘 — forget — わす-れる — ボウ — （7）

` 一 七 亡 忘 忘 忘

忘(わす)れる　to forget 　　忘年会(ぼう・ねん・かい)　year-end party

忘(わす)れ物(もの)　something left behind

409 考 — think — かんが-える — コウ — （6）

一 十 土 耂 考 考

考(かんが)える　to think 　　考古学(こう・こ・がく)　archaeology

考(かんが)え　thought, idea 　　選考(せん・こう)する　to select

2-2 読み練習 ....

Ⅰ．次の漢字の読み方をひらがなで書きなさい。

　1. 覚える　　2. 考える　　3. 忘れる　　4. 泣く　　5. 悲しむ

　6. 笑う　　7. 感じる　　8. 心　　9. 感情　　10. 頭

Ⅱ．次の文を読んでみましょう。

　1. 彼が漢字をよく覚えているので、感心した。

　2. 目覚まし時計をセットするのを忘れて、遅れました。

　3. 人は楽しいときに笑い、悲しいときに泣く。

　4. 日本人は年の終わりに友だちと酒を飲んで、悲しいことや

　　いやなことを忘れる。これを「忘年会」という。

　5. 赤んぼうが泣くことはいい運動ですから、安心してください。

　6. 彼女はとても頭がいいが、冷たい人だ。

　7. 彼は日本の政治に関心がある。

　8. 寒くて、手足の感覚がなくなった。

　9. あの子はまだ小さいので、感情のコントロールが下手だ。

　10. 京子さんはあまり話さないが、話すときはよく考えて話す。

2-3 書き練習 ・・

Ⅰ．次の□に適当な漢字を書きなさい。

1. heart

こころ

2. head

あたま

3. to cry

□く
な

4. to laugh

□う
わら

5. to memorize

□える
おぼ

6. to forget

□れる
わす

7. to think

□える
かんが

8. to feel

□じる
かん

9. feelings

□□
かん じょう

10. sad

□しい
かな

Ⅱ．ことばの意味を考えて、適当な漢字を書いてみましょう。

1. to feel relieved

□□する
あん しん

↔

2. to worry

□配する
しん ぱい

3. to be impressed

□□する
かん しん

4. helpless

□細い
こころ ぼそ

↔

5. reassuring

□□い
こころ づよ

6. sense

□□
かん かく

7. psychology

□□□
しん り がく

8. I'd like to express my heartfelt thanks to you all.

みなさんに□から□謝いたします
　　　　　　こころ　　　かん しゃ

新版
NEW EDITION

BASIC
KANJI BOOK

―基本漢字500―

VOL.2

[解 答
かい とう
ANSWERS]

Lesson 23

p.1

e.g. 写真をとる　読書をする　映画を見る
映画を作る　スポーツをする
スポーツを見る　音楽を楽しむ
音楽を聞く　料理を作る　料理をする

読み練習　I.（p.5）

1.おもう　2.たのしむ　3.らくな
4.たのしい　5.しろい　6.あかい　7.くろい
8.おと　9.いろ　10.しゃしん　11.がか
12.えいがおんがく　13.りょうきん
14.あかちゃん

読み練習　II.（pp.5-6）

1.がめん・せきどう・ちかく・くに・うつって
2.りょうり・とくしょく・ざいりょう・はいって
3.せんせい・こくばん・じ・かいて・がくせい・はつおん・れんしゅう
4.ちゅうごくりょうり・にほんりょうり・フランスりょうり・なか・なに・いちばん・すき
5.まよなか・おんがくばんぐみ・がいこくえいが・みます
6.かのじょ・いろ・しろく・くろくて・ながい
7.じ・かくすう・13かく・くんよみ・おんよみ
8.でんきりょうきん・ガスりょうきん・たかく・こんげつ・あかじ
9.しろい・ゆき・なか・たのしい・おもいで

書き練習　I.（pp.6-7）

1.映画　2.料理する　3.写真　4.音楽　5.音
6.楽しい　7.楽な　8.番組　9.思う　10.思い出
11.色　12.白い雪　13.黒い雲　14.赤い花

書き練習　II.（p.7）

1.白黒　2.赤ちゃん　3.料金　4.写真家
5.音楽家　6.画家

書き練習　III.（p.7）

1.「日曜日」の「曜」という字は、画数が多くて、むずかしい（難しい）。
2.古い白黒の映画を思い出した。
3.友だちといっしょに料理を作るのは楽しい。
4.となりのテレビの音が大きいので、音楽がよく聞こえない。

読み物（p.8）

1.7時におきます。
2.ひげをそって、くつをみがきました。
3.白いワンピースを着ていました。
4.フランス料理のレストランへ行きました。
5.はい、できると思います。／いいえ、できないと思います。

知っていますかできますか（pp.9-10）

1.午前4時から4チャンネルでやります。
2.午後9時から1チャンネルで聞けます。
3.はい、あります。（2チャンネル9時）
4.はい、あります。（2チャンネル0時、4チャンネル午前2時44分）
5.フランス語やロシア語やアラビア語の番組があります。
6.省略（answer omitted）

Lesson 24

pp.11-12

1.赤ちゃんが寝る　2.赤ちゃんが起きる
3.男の人の近くに立つ
4.女の人のとなりに座る
5.男の子が遊ぶ　6.男の子が働く
7.映画が始まる　8.映画が終わる
9.図書館に本を返す　10.学生に本を貸す
11.学生が本を借りる

読み練習　I.（p.16）

1.おきる　2.ねる　3.たつ　4.すわる
5.はじまる　6.おわる　7.かりる　8.かす

9.かえす　10.つかう　11.あそぶ　12.おくる

13.しんしつ　14.こくりつだいがく

15.かしだし

読み練習　Ⅱ. (pp.16-17)

1.つかいかた・おしえて

2.しりつとしょかん・ほん・かしだし・にしゅうかん

3.せんしゅう・そうべつかい・かえり・ともだち・かりました・きょう・かえしました

4.おかあさん・こども・まいばん・8じ・ねかして・あさ・6じ・おこします

5.えいが・ごぜん・11じ・はじまって・ごご・1じはん・おわる

6.かれ・いま・しんしつ・ねて・いちじかんご・おこして

7.ざせき・すわれませんでした・たって・えいが・みました

書き練習　Ⅰ. (p.17)

1.日本語を始める　2.仕事を終える

3.車を貸す　4.部屋を借りる　5.お金を返す

6.起きる　7.寝る　8.立つ　9.座る　10.遊ぶ

11.はしを使う　12.荷物を送る

書き練習　Ⅱ. (p.18)

1.終電　2.寝台車　3.座席　4.返事　5.国立大学

6.貸し出し　7.見送る　8.始業式　9.終業式

10.大使館

書き練習　Ⅲ. (p.18)

1.音楽会の開始時間は、午後七時です。

2.子どもと遊園地に行って、ジェットコースターに乗って遊んだ。

3.米国の大使と経済の問題について話し合った。

4.借金を返すために、朝起きてから夜寝るまで働いています。

読み物 (p.19)

7時ごろ：起きる

7時40分ごろ：家を出る

9時：会社が始まる

5時：会社が終わる

9時すぎ：帰宅する

11時ごろ：寝る

Lesson 25

読み練習　Ⅰ. (p.26)

1.けっこんしき　2.しゅっせきする

3.けっせきする　4.わしき　5.ようしき

6.よてい　7.しんこんせいかつ　8.りこんする

9.ていしょく　10.せいようりょうり

読み練習　Ⅱ. (p.26)

1.あに・2がつ・こんやくして・5がつ・けっこんする

2.あね・いちねんまえ・りこんした

3.10がつ・11にち・ともだち・けっこんしき・しゅっせきする

4.どようび・よてい・けっせきした

5.てんきよほう・みて・こうえん・いった

6.おひる・ようしょく・わしょく

7.やきざかなていしょく

8.わたし・いま・ちち・はは・はなれて・せいかつして

書き練習　Ⅰ. (p.27)

1.結婚　2.離婚　3.出席する　4.欠席する

5.洋食と和食　6.東洋と西洋　7.定食　8.予定

9.生活　10.式

書き練習　Ⅱ. (pp.27-28)

1.ひもを結ぶ　2.国を離れる　3.活動　4.洋書

5.洋酒　6.洋式　7.和式　8.和書　9.正式な

10.結論　11.結果　12.婚約　13.新婚旅行

14.定員　15.指定席　16.予約する

書き練習　Ⅲ. (p.28)

1.子どもの学校の入学式に出席する。

2.お宅のおてあらい(お手洗い)は、洋式ですか、和式ですか。

3.来年結婚する予定です。

4.先月正式に離婚して、新しい生活を始めた。

5.勉強ばかりではなく、クラブ活動もよくやっている。

読み物 (pp.29-30)

1.前田洋子さんがリー・トンプソンさんに書きました。

2.本社から支社に移ったからです。

3.おいしいワインがたくさん出る予定です。

4.スピーチをお願いしました。

復習21-25

Ⅰ. (p.32)

1.映画／館　2.写真／屋　3.高校／生

4.音楽／家　5.結婚／式／場　6.私立／大学

7.政治／学部　8.研究／所／長　9.新婚／生活

10.新／経済／問題　11.英国／大使／館

12.教育／問題／研究／会

Ⅱ. (pp.32-33)

1.鉄道の会社

2.工場の見学／工場を見学すること

3.新しい住所

4.買物が上手なこと

5.長く電話すること

6.電車での通学／電車で通学すること

7.予定の時間／予定した時間

8.十時の開店／十時に開店すること

9.勉強する部屋／勉強のための部屋

10.米国への留学／米国に留学すること

11.白黒の写真

12.大きい問題

Ⅲ. (pp.33-34)

1.座って／立って　2.座る

3.寝て・起きる／起きて・寝る　4.結んで

5.育つ　6.習った　7.離れて・思う／思った

8.治る　9.貸して　10.借りた・返す／返した

11.始まる／終わる　12.終わった・答えた

13.数えて／答えて

14.送って／返して／貸して

Ⅳ. (p.34)

1.立つ↔座る　2.起きる↔寝る

3.始まる↔終わる　4.出席↔欠席

5.結婚↔離婚　6.和式↔洋式　7.地上↔地下

8.私立↔国立　9.国内↔外国／国外／海外

10.病気↔元気　11.貸す↔借りる

12.出る↔入る　13.父↔母　14.兄↔弟／姉

15.妹↔姉／弟　16.黒↔白　17.右↔左

18.東↔西　19.北↔南　20.晴れ↔雨

Lesson 26

読み練習　Ⅰ. (p.39)

1.あたたかい・はる・ひ　2.さむい・ふゆ・ひ

3.あつい・なつ・ひ　4.すずしい・へや

5.あつい　6.つめたい・みず　7.あたたかい

8.てんき　9.ねつ

読み練習　Ⅱ. (pp.39-40)

1.あつい・つめたい・のみもの

2.てんき・あたたかい・さむかった

3.なつ・うみ・やま・すずしい・ところ・いきたい

4.しゅんぶん・ひ・しゅうぶん・ひ・やすみ

5.としょかん・れいぼう・だんぼう

6.はる・なつ・あき・ふゆ・なか・いちばん・すき

7.ねつ・たいおんけい・はかって

8.にほんじん・なつ・あつい・しょちゅうみまい・かく

書き練習　Ⅰ. (p.40)

1.春　2.夏　3.秋　4.冬　5.涼しい日　6.暑い日

7.熱いお茶　8.寒い部屋　9.冷たい水

10.暖かい家　11.温かい食べ物　12.天気

書き練習 Ⅱ. (pp.40-41)

1.春夏秋冬　2.夏休み　3.冬休み　4.春分

5.秋分　6.天の川　7.冷房と暖房

8.温度を上げる　9.冷蔵庫で酒を冷やす

書き練習 Ⅲ. (p.41)

1.この子は、春に生まれたので、「春子」という

名前をつけました。

2.暑いときには、熱いものを飲んだほうがいい。

3.秋子さんは、熱があって、部屋で寝ています。

4.今年の冬は暖冬で、雪が少ない。

5.あしたはいい天気で、朝のうちは寒いが、昼

ごろから暖かくなるそうです。

読み物 (p.42)

[月] 春：3～5月　夏：6～8月

　　　秋：9～11月　冬：12～2月

[行事] 春：花見　秋：月見

知っていますかできますか (pp.43-44)

省略(answer omitted)

Lesson 27

読み練習 Ⅰ. (p.50)

1.ちち・しごと　2.かがくしゃ　3.うんてんしゅ

4.うんどうする　5.せんしゅ　6.しんぶんきしゃ

7.こっかいぎいん　8.こうぎょう

9.しょうぎょう　10.のうぎょう　11.かいぎ

12.かいしゃいん

読み練習 Ⅱ. (pp.50-51)

1.ばん・はるこ・そと・しょくじ

2.にもつ・じてんしゃ・はこんで

3.あきこ・いしゃ・しごと・えらびました

4.しんぶんきじ

5.てんいん・みせ・しょうひん

6.にほん・のうぎょうこく・いま・こうぎょう

こく

7.のうか・しごと・あさ・はやく・いそがしい

8.わたし・まいばん・ねる・まえ・にっき・か

いて

書き練習 Ⅰ. (p.51)

1.車を運転する　2.仕事をする　3.医者に行く

4.テニス選手　5.新聞記者　6.図書館員

7.国会議員　8.商業　9.農業　10.日記を書く

11.自転車　12.店員

書き練習 Ⅱ. (p.52)

1.会議室　2.若者　3.記事　4.食事　5.工事

6.科学者　7.学者　8.駅員　9.準備運動

10.運転手　11.工業　12.授業

書き練習 Ⅲ. (p.52)

1.あしたの会議で議長が選ばれます。

2.新聞にその選手についての記事がある。

3.この道は工事中で通れません。

4.農業は私たちの生活にとって、一番大切なも

のだと思う。

5.好きなことをするために、きまった(決まっ

た)仕事を持たないで、アルバイトで生活して

いる人もいます。

読み物 (p.53)

1.新聞記者　2.写真屋　3.運転手　4.駅員

5.医者　6.図書館員

知っていますかできますか (p.54)

a.音楽家　b.画家　c.写真家　d.歌手　e.魚屋

f.会社員　g.ピザ屋　h.肉屋　i.花屋　j.酒屋

k.運転手　l.カメラマン　m.記者　n.歯医者

o.ゆうびんきょく(郵便局)員

Lesson 28

p.55（日本語テスト）

Ⅰ.(1)2

Ⅱ.(1)×　(2)○　(3)○

Ⅲ.(1)くれ(ました)

Ⅳ.(1)ほど／ぐらい　(2)より

読み練習 Ⅰ. (p.59)

1. よい　2. わるい　3. ただしい　4. むずかしい

5. てきとうな　6. おなじ　7. ちがう　8. てん

9. かたち　10. つぎ　11. あじ　12. もくじ

13. けいしき

読み練習 Ⅱ. (pp.59-60)

1. かのじょ・しゅみ・にんぎょう・つくる

2. つぎ・いみ・てきとうな・えらびなさい

3. つぎ・ぶん・よんで・ただしい・まちがって

4. だいとし・いちばん・おおきい・もんだい・じゅうたくなん

5. わるい・てん・ほんとうに・じかい・おもう

6. にんげん・よい・てん・どうじに・けってん

7. とし・じんじゃ・いく・はつもうで

書き練習 Ⅰ. (p.60)

1. 同じ　2. 違う　3. 正しい　4. 良い　5. 悪い

6. 難しい　7. 適した　8. 本当　9. 点　10. 形

11. 味　12. 次

書き練習 Ⅱ. (pp.60-61)

1. 良心　2. 悪口　3. 正答　4. 同時に　5. 適当な

6. 意味　7. 間違い　8. 違い　9. 住宅難

10. 悪化する　11. 正直な　12. 欠点　13. 点数

14. 終点　15. 人形　16. 正月　17. 形式　18. 目次

19. 難問

書き練習 Ⅲ. (p.61)

1. この電車の終点は、東京駅です。

2. 次の文と同じいみ(意味)の文を選びなさい。

3. この点数は、間違っている。

4. このケーキは、形は悪いが、味はいい。

5. けがが悪化しないように、医者に行って、手当てをしてもらった。

6. 人の悪口を言うのは、よくありません。

読み物 (p.62)

1. コンピューターのプログラマーです。

2. e.g. 大学のとき、しけん(試験)が難しかったのがわすれられないからでしょう。

3. e.g. ロマンチックな人だと思います。／ゆめ

を見るのが好きな人だと思います。

Lesson 29

読み練習 Ⅰ. (p.68)

1. けいけん　2. しけん　3. めんせつする

4. せつめいする　5. けっか　6. しあい

7. ごうかくする＝しけん・うかる

8. じゅけんする＝しけん・うける

9. しけん・おちる　10. ざんねんだ　11. のこる

12. あう

読み練習 Ⅱ. (pp.68-69)

1. かがく・じっけん・けっか

2. とうきょう・ほうめん・いき／ゆき・でんしゃ・3ばんホーム・でる

3. ともだち・こんご・よてい・はなしあった

4. わたし・らいねん・にがつ・だいがくいん・しけん・うけます

5. おとうと・きょねん・しりつ・こうこう・ごうかくした

6. すいようび・しあい・ざんねんな・けっか・おわった

7. のこり・おかね・ごうけい・1まん5せんえん

8. ひろしま・いった・とき・きねんしゃしん・おとして

書き練習 Ⅰ. (p.69)

1. 試す　2. 試合　3. 試験を受ける　4. 面接

5. 結果を説明する　6. 残念な　7. 合格する

8. 落ちる

書き練習 Ⅱ. (pp.69-70)

1. 実験　2. 経験　3. 記念品　4. 方面　5. 資格

6. 効果　7. 間接　8. 直接　9. 話し合う

10. 合わせる　11. 合計　12. 受付　13. 受験する

14. メールを受信する

書き練習　Ⅲ.(p.70)

1.この小説は本当におもしろい。

2.若いときに、外国でいろいろな経験をしたい。

3.日本の会社員は夜遅くまで残業をするらしい。

4.スーツを買う前に、試着室で着てみました。

5.有名な会社の面接試験を受けたが、結果は残念ながら不合格だった。

Lesson 30

読み練習　Ⅰ.(p.77)

1.うつ　2.なげる　3.おる　4.はらう　5.あらう

6.きえる　7.きまる　8.ながれる　9.ふかい

10.ゆび　11.うせつする　12.させつする

13.していせき　14.しんや　15.せんめんじょ

読み練習　Ⅱ.(p.77)

1.まいつき・1まんえん・はらって・あたらしい・くるま・かう・きめた

2.とうしブーム・しんぶん・とうしょした

3.ねる・まえ・へや・でんき・けして

4.うせつして・つぎ・させつして

5.いちにちじゅう・あらって・ゆび・いたく

6.とうしゅ・なげて・だしゃ・うった

7.ふかい・うみ・すむ・さかな・いろ

8.やま・ふった・あめ・みず・かわ・ながれて・うみ・はいる

書き練習　Ⅰ.(p.78)

1.くぎを打つ　2.ボールを投げる

3.お金を払う　4.指を折る　5.手を洗う　6.流れ

7.深い　8.仕事を決める　9.電気を消す

書き練習　Ⅱ.(pp.78-79)

1.支払い　2.前払い　3.打ち合わせ

4.左に折れる＝左折する

5.右に折れる＝右折する　6.深夜　7.指定席

8.投資する　9.洗面所　10.新聞に投書する

11.黒が流行している　12.商品の流通

13.決定する＝決める

書き練習　Ⅲ.(p.79)

1.指を折って、数を数える。

2.車内でとっきゅう(特急)の指定席の料金を払った。

3.毎朝洗面所でかお(顔)を洗う。

4.今年流行している茶色のセーターに決めました。

5.午後3時から5かい(階)の会議室で打ち合わせを行います。

6.今朝の新聞におもしろい投書があった。

7.この川は深くて、流れがきゅう(急)です。

読み物(p.80)

1.[左から]親指・人さし指・中指・薬指・小指

2.省略(answer omitted)

3.a.ピースサイン　b.いいね

　c.オーケー(お金は下向き)

復習 26-30

Ⅰ.(p.82)

1.適当(な)　2.試験(する)　3.左折(する)

4.洗面(する)　5.結果(×)　6.指定(する)

7.面接(する)　8.困難(な)　9.流行(する)

10.記事(×)　11.意味(する)　12.決定(する)

13.同意(する)　14.残念(な)　15.受験(する)

16.形式(×)　17.消火(する)　18.冷静(な)

19.仕事(する)　20.運転(する)

Ⅱ.(p.82)

1.正しい↔間違い／間違っている

2.やさしい↔難しい　3.悪い↔良い

4.温かい↔冷たい　5.寒い↔暑い

6.涼しい↔暖かい

Ⅲ.(p.83)

1.音&暗い　2.楽しい&薬　3.料&科

4.白&日　5.医&区　6.難しい&離す

7.時&持つ&待つ　8.同じ&何

9.間&聞く&開く&閉まる&問い　10.席&度

IV. (pp.83-84)

1.映画&英語　2.画数&合格する
3.写真&寝室　4.新聞&親切な　5.病院&議員
6.商人&消火する　7.形式&経済&時計
8.試験&意見　9.面接&説明　10.残念な&来年
11.昼食&中国

Lesson 31

読み練習　I. (p.89)

1.いそぐ　2.とまる　3.とくに　4.きゅうに
5.れんらくする　6.りょこうする
7.よやくする　8.あんないする
9.じゅんびする　10.そうだんする

読み練習　II. (pp.89-90)

1.じゅんきゅう・きゅうこう・とっきゅう・なか・いちばん・はやい
2.とくべつしつ・でんわ・よやくした
3.あんないしょ・ひと・りょかん・やく30・いった
4.ともだち・そうだんして・とまる・ところ・きめた
5.れんらくさき・じゅうしょ・でんわばんごう・かいて
6.くに・きょういくすいじゅん・たかい
7.ほっかいどうりょこう・たのしかった・とくに・りょうり
8.えいが・はじまります・いそいで
9.なつやすみ・こども・つれて・かいがいりょこう・いきます

書き練習　I. (p.90)

1.旅行する　2.相談する　3.連絡する　4.特に
5.泊まる＝宿泊する　6.急ぐ　7.予約
8.案内する　9.準備　10.急に

書き練習　II. (pp.90-91)

1.旅　2.旅行者　3.旅費　4.旅館　5.二泊する

6.連れていく　7.電話連絡　8.設備　9.相手
10.約束　11.案内所　12.案　13.水準
14.準急　15.急行　16.特急　17.特色

書き練習　III. (p.91)

1.京都の旅館を予約しました。
2.先生に急いで連絡したいことがあるんですが。
3.次の駅で特急を降りて、急行に乗りかえます。
4.来年アメリカに留学する予定です。
5.キャンプ場に泊まりますから、準備をして来てください。

読み物 (p.92)

[上から]7→2→5→9→4→6→1→8→3

知っていますかできますか (p.93)

11月1日
178,900円

Lesson 32

読み練習　I. (p.99)

1.せん　2.テレビきょく　3.どうろ　4.いけん
5.ちゅういする　6.しゅっぱつする
7.とうちゃくする　8.はつばいする
9.しんじる　10.かんする　11.こうつうじこ
12.こうつうきかん

読み練習　II. (pp.99-100)

1.10じ・しゅっぱつして・ごご1じ・りょかん・とうちゃくする・よてい
2.こうそくどうろ・こうつうじこ
3.ほどうきょう・わたって・いく・せんろ・でます
4.せいふ・けんきゅうきかん
5.しんごう・あお・まちましょう
6.にほんりょうり・にほんしゅ・ちゅうもんします
7.1923ねん・かんとうちほう・おおきい・じしん

8. きかい・あいて・いけん・ちゅういして・き
いて
9. いま・いちばん・つかわれて・つうしんきか
ん・なん
10. つぎ・きゅうこうでんしゃ・はっしゃじか
ん・ごぜんくじ

書き練習　Ⅰ. (p.100)

1. 出発する　2. 到着する　3. 注意する　4. 交通
5. 機関　6. 道路　7. 線　8. 信号　9. 事故　10. 意見
11. 薬局

書き練習　Ⅱ. (p.101)

1. 直線　2. 線路　3. 東海道線　4. 発売　5. 外交
6. 飛行機　7. 機会　8. 関係する　9. 関東地方
10. 信じる　11. 注文する　12. 故障　13. 郵便局

書き練習　Ⅲ. (p.101)

1. このバスは、九時九分に到着する予定です。
2. この数年、交通事故が少なくなりました。
3. 関東地方は、午後から雨が降るでしょう。
4. 車に注意してください。
5. この道は、信号が多いですね。

読み物 (p.102)

1. その友人は海外で働いているので、なかなか
会う機会がないからです。
2. 約60分(56分)かかります。
3. 大きな事故があったからです。
4. 来年、友人が日本に帰ってくるときに会うこ
とになりました。

Lesson 33

読み練習　Ⅰ. (pp.108-109)

1. おす　2. ひく　3. とる　4. わる　5. ねがう
6. しる　7. もとめる　8. みせ・けいえいする
9. じぶん・いえ＝じたく　10. じゅうな・じかん
11. りゆう

読み練習　Ⅱ. (p.109)

1. かいしゃ・とりひき・しらない

2. つぎ・しき・こたえ・もとめなさい
3. ようきゅうする
4. きゅうじんこうこく・しごと
5. けんちじ・おねがい
6. だいがく・にゅうがくがんしょ・だす
7. わる
8. きない・ふく・おしいれ・きる・ふく・ひき
だし
9. りゆう・おくれて・くる・わるい
10. らいしゅう・げつようび・ちじん・ホンコ
ンけいゆ・きます

書き練習　Ⅰ. (p.109)

1. 押す　2. 引く　3. 取る　4. 求める　5. 願う
6. 割る　7. 知る　8. 自由　9. 経営する

書き練習　Ⅱ. (p.110)

1. 押し入れ　2. 引き出し　3. 割合　4. 引退する
5. 一割引き　6. 営業　7. 理由　8. 経由　9. 自宅
10. 自信　11. お知らせ　12. 知識　13. 取り引き
14. 願書　15. 要求する

書き練習　Ⅲ. (p.110)

1. このドアは、押しても引いても開かない。
2. まど(窓)ガラスを割ったのは私です。
3. あの店は、午前九時から営業している。
4. 休みの日は、自分の家にいるのが一番好きだ。
5. 知らない人に「写真をとってください」とお願
いした。

読み物 (p.111)

1. いろいろなCDプレーヤーをくらべてみよう
と思ったからです。
2. A社です。(A社のほうが8000円安いです。)
3. B社のCDプレーヤーを買いました。
4. 46900円で買いました。
　　A社　(67000 − 8000) × 0.8＝47200
　　B社　67000 × 0.7＝46900

知っていますかできますか (p.112)

1. 台所(だいどころ)　2. 食堂(しょくどう)
3. 勉強(べんきょう)　4. 寝室(しんしつ)

5.手洗(てあら)い　6.新聞(しんぶん)

7.郵便(ゆうびん)　8.静(しず)かに

9.注意(ちゅうい)　10.押(お)す　11.引(ひ)く

Lesson 34

読み練習　Ⅰ. (p.117)

1.だいどころ　2.どうぐ　3.しょっき　4.じしょ

5.ようふく　6.ざっし　7.がっき　8.ようぐ

9.てがみ　10.まどぐち

読み練習　Ⅱ. (p.117)

1.かぐうりば・5かい・ふじんふくうりば・
3がい

2.たいふう・まいとし・なつ・あき・にほん・
くる

3.ほん・ざっし・じしょ・かう・おおきい・しょ
てん・みて・えらべる

4.けっこんする・まえ・あたらしい・かぐ・しょっ
き・かった

5.にちようび・てがみ・かいたり・ざっし・
よんだり

6.きゅうこうけん・2ばん・まどぐち・かって

7.かみにんぎょう・つくる・おりがみ・ようい
する

8.だいどころ・まど・おおきくて・あかるい

9.くすり・しょくご・さんじゅっぷん／さんじっ
ぷん・ふくようして

書き練習　Ⅰ. (p.118)

1.台　2.窓　3.紙　4.服　5.雑誌　6.手紙

7.道具　8.食器　9.用事＝用　10.辞書＝辞典

書き練習　Ⅱ. (pp.118-119)

1.文具　2.寝具　3.楽器　4.消火器　5.用いる

6.用具　7.用意する　8.台所　9.台地

10.寝台車　11.洋服　12.辞退する　13.和服

14.折り紙　15.薬を服用する　16.窓口

17.週刊誌　18.雑音　19.英和辞典

20.男性用化粧品

書き練習　Ⅲ. (p.119)

1.天気がいいので、台所の窓を開けた。

2.結婚したとき、新しい家具と食器を買った。

3.雑誌に、今年流行している服がのっている。

4.辞書を見ながら、日本語で手紙を書いた。

5.友だちが来るので、食べ物や飲み物をたくさ
ん用意した。

読み物 (p.120)

1.家具や寝具や台所用品、いろいろなかてい(家
庭)用品などを用意しなければなりませんでし
た。

2.ゆいのう(結納)を渡し、二人が住む家を見つ
けなければなりませんでした。

3.結婚の準備にお金がたくさんかかるからで
す。

4.げっきゅう(月給)の2か月分ぐらいのお金で
す。婚約する時に女の人の家に渡します。

5.省略(answer omitted)

知っていますかできますか (pp.121-122)

1.a.ふとん：5階(寝具売り場)

　b.カップ：5階(洋食器売り場)

　c.はさみとペン：4階(文房具／文具売り場)

　d.たんす：5階(家具売り場)

　e.スカート：2階(婦人服売り場)

　f.時計：4階(時計売り場)

　g.くちべに(口紅)：1階(化粧品(けしょうひん)売
　　り場)

　h.ぼうし(帽子)：3階(紳士(しんし)用品売り場)

　i.くつ(靴)：3階(紳士(しんし)靴(ぐつ)売り場)

　j.くつ(靴)：4階(子ども服売り場)

　k.ケーキ：地下(洋菓子(ようがし)売場)

　l.ラケット：4階(スポーツ用品売り場)

2.5階にあります。

3.1階と3階と5階にあります。

4.1階の店内案内所(⑳)へ行けばいいです。

Lesson 35

p.123

1. ものを作る人　2. ものを作っている所
3. 作っているもの　4. ものを使う
5. ものを使う人　6. もののねだん
7. 土地のねだん

読み練習　Ⅰ.（p.126）

1. こじん　2. しほん　3. ぎんこう　4. しょうひん
5. ぶっか　6. ひとびと　7. せいさんする
8. ほうこくする　9. きたいする　10. こうこく

読み練習　Ⅱ.（p.127）

1. りゅうがくせい・にほんごコース・ぜんき・こうき・わかれて
2. ひとびと・こじん・しょうてん・しなもの・かう
3. しなもの・かかく・へいきん・しょうひしゃ・ぶっか
4. みせ・こうかな・しょうひん・ていか・2わりびき・うります
5. くにぐに・せいさんシステム・ほうこくしょ・かいた
6. ぎんこう・しきん・かりて・いえ・かった・へんさい
7. ひんしつ・よい・もの・せいさんして・かかく・たかければ・うれない
8. しんぶん・こうこく・つくる・しごと・だいさんじさんぎょう

書き練習　Ⅰ.（p.127）

1. 人々　2. 期間　3. 産業　4. 商品　5. 物価
6. 銀行　7. 資金　8. 個人　9. 生産する
10. 報告する　11. 品物

書き練習　Ⅱ.（p.128）

1. 投資する　2. 資料　3. 資本主義　4. 品質
5. 上品な　6. 下品な　7. 情報　8. 価格　9. 定価
10. 広告　11. 期待する

書き練習　Ⅲ.（p.128）

1. 銀行で会社の資金を借りた。
2. あの店では、いろいろな国の食料品が買える。
3. このメロンは、一個で5000円もする。
4. 東南アジアの日本語教育について報告があります。
5. 今年の米の生産は、期待したほどではなかった。

復習 31-35

Ⅰ.（p.132）

1. 新／学期→ 新しい学期
2. 営業／中→ 営業している
3. 国産／品→ 国で生産された品
4. 台所／用品→ 台所で使う品
5. 都／道／府／県→ 東京都と北海道と京都府と大阪府とほかの43の県
6. 海外／生活→ 海外での生活
7. 入学／試験→ 学校に入るための試験
8. 結婚／資金→ 結婚のため(結婚式など)に使うお金
9. 大学院／進学→ 大学院に進学すること
10. 自動車／生産／台数→ 生産する自動車の数
11. 予約／席→ 予約する席
12. 研究／室→ 研究するための部屋
13. 有名／人→ 有名な人
14. 料理／番組→ 料理の作り方を見せるテレビの番組
15. 練習／問題→ 練習のための問題
16. 漢字／学習→ 漢字を学習すること
17. 電話／予約→ 電話で予約すること
18. 新入／社員→ 新しく入った社員
19. 落石／注意→ 落ちてくる石に注意すること
20. 地下／連絡／口→ 地下に連絡する入口

Ⅱ.（p.132）

1. たて：京都　　よこ：東京

2.たて：生産　　よこ：産業

3.たて：自由　　よこ：自習

4.たて：寝具　　よこ：文具

5.たて：食器　　よこ：楽器

6.たて：定期券　　よこ：特急券／急行券

Lesson 36

p.133

1.おこる　2.悲しむ／泣く　3.はずかしい

4.驚く／びっくりする　5.うれしい／喜ぶ

6.うらやましい／うらやむ　7.こわい

読み練習　Ⅰ. (p.137)

1.おぼえる　2.かんがえる　3.わすれる

4.なく　5.かなしむ　6.わらう　7.かんじる

8.こころ　9.かんじょう　10.あたま

読み練習　Ⅱ. (p.137)

1.かれ・かんじ・おぼえて・かんしんした

2.めざましどけい・わすれて・おくれました

3.ひと・たのしい・わらい・かなしい・なく

4.にほんじん・とし・おわり・ともだち・さけ・のんで・かなしい・わすれる・ぼうねんかい

5.あかんぼう・なく・うんどう・あんしんして

6.かのじょ・あたま・つめたい・ひと

7.かれ・にほん・せいじ・かんしん

8.さむくて・てあし・かんかく

9.こ・ちいさい・かんじょう・へた

10.きょうこ・はなさない・はなす・かんがえて・はなす

書き練習　Ⅰ. (p.138)

1.心　2.頭　3.泣く　4.笑う　5.覚える

6.忘れる　7.考える　8.感じる　9.感情

10.悲しい

書き練習　Ⅱ. (pp.138-139)

1.安心する　2.心配する　3.感心する

4.心細い　5.心強い　6.感覚　7.心理学

8.みなさんに心から感謝いたします

9.人情　10.愛情　11.苦情　12.目を覚ます

13.情報　14.悲劇　15.笑顔　16.頭痛　17.考え方

18.忘年会　19.忘れ物

書き練習　Ⅲ. (p.139)

1.忘年会で酒を飲みすぎて、頭痛がする。

2.冷たい雪の中で仕事をしていると、手の感覚がなくなる。

3.母の病気が治って、安心した。

4.研究室に同じ国の人がいるので、心強い。

5.テレビや新聞がなくて、情報が手に入りにくい。

知っていますかできますか (p.142)

1.耳(みみ)　2.目(め)　3.頭(あたま)

4.顔(かお)　5.口(くち)　6.歯(は)　7.手(て)

8.指(ゆび)　9.足(あし)

Lesson 37

読み練習　Ⅰ. (p.149)

1.よろこぶ　2.おどろく　3.わかれる

4.よぶ　5.つたえる　6.かわる　7.やく　8.ぬぐ

9.あつめる　10.ならぶ　11.まがる

12.でんごん

読み練習Ⅱ. (p.149)

1.あさ・9じ・えき・まえ・しゅうごうする・つたえて

2.りゅうがくせい・だいひょうして・よろこんで

3.なまえ・よぶ・ならんで・まって

4.みぎ・まがる・ちいさい・いえ・ならんで

5.ゆうじん・かわり・とうきょう・いく・でんごん・きいて・おどろいた

6.いえ・はいる・ぬいだ・ならべて

7.いえ・やけた・きいて・いそいで・はしって・ぬげた

8.あつまった・ひと・まえ・かれ・とくべつに・いっきょく・うたって

書き練習　Ⅰ. (p.150)

1. 伝える　2. 代わる　3. 呼ぶ　4. 焼く　5. 曲がる
6. 脱ぐ　7. 別れる　8. 集まる　9. 並ぶ　10. 喜ぶ
11. 驚く

書き練習　Ⅱ. (pp.150-151)

1. 伝言　2. 伝記　3. 代表する　4. 代金　5. 時代
6. 呼吸　7. 家が全焼する＝家が全部焼ける
8. 焼き肉　9. 焼き鳥　10. 区別する　11. 脱出する
12. 別の所　13. 特別な　14. 作曲する　15. 曲線
16. 集合場所　17. 悲劇と喜劇　18. 集中する

書き練習　Ⅲ. (p.151)

1. 少年時代には、楽しい思い出がたくさんある。
2. ここは人が多いから、どこか別の所で話しましょう。
3. 日本の人口は、大都市に集中している。
4. すみませんが、父に伝言をお願いします。
5. 「英語」の「英」と「映画」の「映」は別のかんじ（漢字）です。

知っていますかできますか (p.153)

e.g. 会社：1・3・4
　　道路：9・10
　　店：2・3・6・7・8・11・15
　　病院：5・6
　　その他：12・13・14

Lesson 38

読み練習　Ⅰ. (p.158)

1. ほそい　2. ふとい　3. おもい　4. かるい
5. ねむい　6. こまかい　7. くるしい　8. せまい
9. よわい　10. にがい　11. かんたんな

読み練習　Ⅱ. (p.158)

1. おもさ・たんい・ながさ・たんい
2. わたし・ふとって・たいじゅう・おもく
3. ばん・むね・くるしくて・ねむれません
4. たいへいよう・たいせいよう・インドよう・さんたいよう

5. けいじどうしゃ・せまい・みち・かんたん・はしれる・べんりだ
6. こ・てあし・ほそい・からだ・よわい・びょうき・くるしんで
7. 1まんえん・こまかく
8. たんご・いみ・わかりません
9. にがい・くすり・のむ・ねむれる

書き練習　Ⅰ. (p.159)

1. 細い　2. 太い　3. 重い　4. 軽い　5. 狭い
6. 弱い　7. 眠い　8. 苦しい　9. 簡単な
10. 細かい　11. 苦い

書き練習　Ⅱ. (pp.159-160)

1. 細かいお金　2. 細い指　3. 太っている
4. 太平洋　5. 体重　6. 重大な　7. 重力　8. 単語
9. 軽食　10. 軽自動車　11. 弱気な　12. 弱点
13. 強弱　14. 安眠　15. 苦痛　16. 苦しい生活
17. 苦しい立場にある　18. 苦いお茶

書き練習　Ⅲ. (p.160)

1. 森田さんは太っているが、体が弱い。
2. 細かいお金がないので、百円貸してください。
3. 苦しい生活をしている学生が多い。
4. 円高について、分かりやすく簡単に説明しなさい。
5. 今月は、重大なニュースが多かった。

読み物 (pp.161-162)

省略 (answer omitted)

知っていますかできますか (p.163)

30度以下の水で、手で洗う。ほすときは、日かげにひらぼしをする。アイロンは低い温度でかける。

Lesson 39

読み練習　Ⅰ. (p.168)

1. そら　2. みなと　3. とぶ　4. たてる
5. くうこう　6. ひよう　7. よんかい
8. かんせいする　9. ほうそうする

10.けんせつする　11.なりたつ

読み練習 Ⅱ. (p.168)

1.なりたくうこう・つくば・くるま・1じかん
はん

2.ひこうき・のる・はやく・つく・ひよう・た
かく

3.けんせつちゅう・しんくうこう・らいねん・
10がつ・かんせいする・よていだ

4.40かいだて・たてもの・けんせつひ

5.せんしゅう・ほうそうされた・えいが・しご
と・みなとまち・でて・わかもの・はなし

6.1がつ・だい2げつようび・せいじん・ひ・
はたち・ひと・せいじん

7.たてもの・せっけいした・ひと・ゆうめいな・
けんちくか・ひこうき・もって

8.わたし・へや・にかい・かいだん・あがって・
みぎ

書き練習 Ⅰ. (p.169)

1.空　2.港　3.飛ぶ　4.家を建てる　5.放す

6.空港　7.飛行機　8.一階　9.費用

10.完成する　11.建設する　12.放送する

書き練習 Ⅱ. (pp.169-170)

1.空気　2.空席　3.空間　4.空いている　5.港町

6.交通費　7.飛行場　8.階段　9.車を手放す

10.四階建ての建物　11.放送局　12.設計する

13.学校を設立する　14.成人　15.成立する

16.成功する

書き練習 Ⅲ. (p.170)

1.ふねが港を出ることを出港と言います。

2.空いている席のことを空席と言います。

3.電車代やバス代など、乗り物にかかる費用の
ことを交通費と言います。

4.飛行機が発着するところを空港と言います。

5.はたち(二十歳)になった人をおいわい(お祝
い)する日を成人の日と言います。

読み物 (p.171)

[長所]　リムジンバス：直通で便利

　　　　電車：時間がせいかく(正確)

　　　　　　　料金が高くない

[短所]　電車：重い荷物を持って移動するのは

　　　　　　　たいへん

知っていますかできますか (p.172)

1.日本に来る　2.アメリカ(米国)に渡る／行く

3.中国を訪れる　4.ヨーロッパ旅行

5.イギリス(英国)とフランスの間にある海

6.ドイツの首相

7.オーストラリアぜんたい(全体)で行われるテ
ニスの試合

8.日本語の文を英語の文にやくす(訳す)こと

9.インドとパキスタンの合同いいんかい(委員
会)

10.イギリス(英国)・ドイツ・スペイン・イタリ
ア・中国・韓国・ロシア・日本の各国の言語

11.スペイン語から日本語への辞典・中国語か
ら日本語への辞典

12.フィリピンの前のだいとうりょう(大統領)

Lesson 40

読み練習 Ⅰ. (p.176)

1.かぜ　2.むき　3.よこ　4.はし　5.りょうほう

6.おく　7.いち　8.ほうこう　9.へいや

10.こうげん　11.たいふう

読み練習 Ⅱ. (p.177)

1.せんもんぶんや・けんきゅうしゃ・あつまっ
て・かいぎ・ひらいた

2.わふう・りょうり・ようふう・りょうり・す
き

3.にほん・たいへいよう・にし・いちして

4.とち・1へいほうメートル・あたり・5まん
えん

5.ちず・みる・へいや・ひがし・こうげん・きた・

さんち・にし・うみ・めんして・かぜ・つよ
そう

6.たいふう・せいなん・ほうこう・せっきんし
て・そと・でる・きょうふう・ちゅういして

7.かれ・げんしりょく・はつでんしょ・はたら
いて

8.ぎんこう・ひきだし・へいじつ・9じ・6じ・
むりょう・どにち・てすうりょう

9.わたし・りょうしん・やきゅう・すき・りょ
うほう・みて

10.のはら・むこう・はなばたけ

11.はし・わたって・ちりがく・けんきゅうじょ・
よこ・はいる・ゆうびんきょく

書き練習　I. (p.178)

1.位置　2.方向　3.横　4.橋　5.風　6.平野
7.両親　8.向く

書き練習　II. (pp.178-179)

1.学位　2.地位　3.鉄橋　4.横浜　5.置く
6.置物　7.両替　8.両方　9.向こう
10.南向き　11.分野　12.野原　13.野菜　14.原因
15.高原　16.原料　17.台風　18.原子力
19.平らな　20.平日　21.平和な　22.風力発電所

書き練習　III. (p.179)

1.関東地方に台風9号が近づいています。

2.今夜は平野部でも大雨になるでしょう。

3.午後4時の位置は、いず(伊豆)半島の南30
キロの海上です。

4.台風は風速20メートルのスピードで北北東
に向かってすすんで(進んで)います。

5.よこはま(横浜)に住んでいる両親から電話が
あって、「風が強くなってきたから、家がしん
ぱい(心配)だ」と言っていました。

読み物 (p.180)

1.1おく(1億)2000万人くらいです。

2.火山の近くにあります。

3.山地のほう多い。山地が2で、平野が1の割
合です。

4.37万平方キロメートルです。

復習 36-40

I. (p.182)

1.感情(×)　2.伝言(する)　3.方向(×)
4.簡単(な)　5.高原(×)　6.完成(する)
7.関心(×)　8.平野(×)　9.集中(する)
10.弱点(×)　11.通知(する)　12.位置(する)
13.空港(×)　14.建設(する)　15.特別(な)
16.安眠(する)　17.重大(な)　18.両方(×)
19.費用(×)　20.放送(する)

II. (pp.182-183)

1.考える&者　2.何&向き&同じ　3.位&泣く
4.平らな&半&来る　5.知る&和
6.重い&車&東　7.苦い&若い
8.晴れ&情け&静か　9.軽い&転ぶ
10.質&資&費

III. (p.183)

1.b.研究室　2.c.建設　3.b.太い　4.a.運転手
5.c.曲がって　6.b.簡単　7.c.泣いて　8.a.伝言

IV. (p.184)

1.位置&意味&違反&医者
2.二階&二回&開店&会費
3.完成&感覚&時間&簡単
4.歩道橋&勉強&教会
5.方向&空港&思考力&学校
6.建設&説明&親切&右折

Lesson 41

p.185

1. a. 退場(たいじょう)　b. 退院(たいいん)
　 c. その他：退学／退社

2. a. 民族(みんぞく)　b. 親族(しんぞく)
　 c. その他：家族

3. a. 訪問(ほうもん)　b. 訪米(ほうべい)

c. その他：訪日／訪中

4. a. 農民(のうみん)　b. 国民(こくみん)

c. その他：市民／難民／住民

読み練習　Ⅰ. (pp.188-189)

1. ろうじん　2. かぞく　3. こくみん　4. かお

5. は　6. しんぱいする↔あんしんする

7. たいいんする↔にゅういんする

8. しゅじゅつ　9. こうか　10. ゆうこう↔むこう

11. たずねる

読み練習　Ⅱ. (p.189)

1. かのじょ・かおいろ・わるい・かぞく・しんぱいして

2. ちち・びょういん・しゅじゅつ・うけて・せんしゅう・たいいんした

3. ろうじんホーム・おいた・はは・たずねる

4. よこたせんせい・せんもん・みんぞくがく・くにぐに・ほうもんする

5. らいしゅう・どようび・しみんホール・びじゅつてん・ひらかれる

6. くすり・ずつう・きく・かいて・のんでも・こうか

7. えきまえ・わかい・おとこ・くばって

8. せんせい・おたく・たずね・おげんきそうな・かお・みて・あんしんしました

書き練習　Ⅰ. (p.189-190)

1. 顔を洗う　2. 歯が痛い　3. 訪ねる

4. 手術の心配をする　5. 退学する　6. 効果

7. 老人　8. 家族　9. 市民

書き練習　Ⅱ. (pp.190-191)

1. 資料を配る　2. 新聞を配達する

3. この薬は効く　4. 有効　5. 無効

6. 少年→青年→中年→老人　7. 老いる

8. 美術館　9. 春の訪れは近い

10. お宅を訪問する　11. 住民　12. 多民族

書き練習　Ⅲ. (p.191)

1. 朝、顔を洗って、歯をみがく。

2. 人間の老化は、20代から始まっていると言

われる。

3. この国は、多民族国家である。

4. 「東京へ来たら、顔を見せてください」と言われたので、ひさしぶりに先生のお宅を訪れた。

5. 病院で手術を受けて、退院するまであと3週間ぐらいかかる。

6. このパスポートは来年の3月まで有効です。

読み物 (p.192)

1. 町でころんで、足にけがをしたからです。

2. 手術の後、3週間したら歩いてもいいです。

3. 1か月(4週間)ぐらいです。

4. 買いたかったバラが高かったので、1本しか買えなかったからだと思います。

Lesson 42

読み練習　Ⅰ. (p.199)

1. そつぎょうする　2. じっけんする

3. しつれいする　4. ろんぶん　5. しょるい

6. ひつような　7. とくいな　8. しらべる

9. かならず　10. おれい

読み練習　Ⅱ. (p.199)

1. ちょうし・わるい・しらべて

2. じじつ・しょうせつ

3. にほん・だいがく・そつぎょうする・まえ・そつぎょうろんぶん・かく

4. しけん・うける・ひつような・しょるい

5. とかい・すむ・わかい・ひと・しつぎょうして・しょとく・せいかつして

6. へや・はいる・でる・しつれいします・いう

7. じゅうような・てん・あとから・かならず・おしらせ

8. じっけん・けっか・ろんぶん

書き練習　Ⅰ. (p.200)

1. 大学を卒業する　2. 論文　3. 実験　4. 調べる

5. 必要な　6. 書類　7. 得意な　8. 失礼な　9. 調子

書き練習 Ⅱ. (pp.200-201)

1. 卒業生　2. 大卒　3. 必ず　4. 議論する
5. 論じる　6. 理論　7. 論理　8. 事実　9. 実用
10. 努力が実る　11. 礼を言う　12. 調査する
13. 重要な　14. 要求する　15. 要点　16. 得る
17. 所得　18. 失業する　19. 失敗する

書き練習 Ⅲ. (p.201)

1. この論文の要点をまとめなさい。
2. その実験は、必ず良い結果が得られるでしょう。
3. 私の一年間の所得は、約500万円です。
4. この部屋の家具は、調和がとれていない。
5. 東京を案内してもらったお礼に、夕飯をごちそうした。

Lesson 43

読み練習 Ⅰ. (p.209)

1. ふえる　2. へる　3. ぞうかする　4. くわえる
5. へんかする　6. うつる　7. つづく
8. かわる　9. すぎる　10. すすむ　11. いじょう
12. いか　13. うつくしい

読み練習 Ⅱ. (p.209)

1. 1950ねん・いこう・こども・かず・げんしょうし・ろうじん・じんこう・ぞうかして
2. かわ・ながれ・へんか・かこ・50ねんかん
3. いがく・しんぽ・おおく・びょうき・なおせる
4. カットだい・5000えん・いか・びよういん
5. くわえる・みず・ふやしたり・へらしたり・じっけん・つづけた
6. いま・3じ・5ふん・すぎ・とけい・すこし・すすんで
7. くうこう・たいへん・うつくしい・やま・しゃしん・みた
8. おんなごころ・あき・そら・かわりやすい・いみ

書き練習 Ⅰ. (p.210)

1. 増加する　2. 減少する　3. 変化する
4. 移動する　5. 通過する　6. 連続する
7. 進歩する　8. 美しい　9. 〜以上

書き練習 Ⅱ. (pp.210-211)

1. 車の数が増える　2. 友だちを増やす
3. 新会員がクラブに加わる　4. 塩を加える
5. 国連に加入する　6. 計画を進める
7. 前に進む　8. 過去　9. 冬が過ぎた　10. 大変な
11. 予定を変える　12. 東京へ移る
13. 海外に移住する

書き練習 Ⅲ. (p.211)

1. 外国人旅行者の数が年々増えている。
2. 1945年以降、日本人の考え方や生活は、大きく変化した。
3. 5年連続して、村の人口が減少している。
4. 毎年涼しい高原で夏を過ごす。
5. 東京へ移ってから、ずっと忙しい日が続いている。

読み物 (p.212)

1. 米とやさいといもが多かったです。
2. 米が少なくなり、肉やたまご、ぎゅうにゅう(牛乳)が多くなりました。

知っていますかできますか (pp.213-214)

省略(answer omitted)

Lesson 44

読み練習 Ⅰ. (p.219)

1. くらべる　2. はんたいする　3. さんせいする
4. なおす　5. あらわす　6. あらわれる
7. ひかくする　8. たいひする
9. ひょうげんする　10. はじめて
11. きょうつうする　12. はっぴょうする
13. ちょくせつ

読み練習 Ⅱ. (p.219)

1. りょうしゃ・きょうつうてん・そういてん

2.げんきん・べんり

3.さいしょに・いれます・つぎに・おします

4.げんだいにほん・きょういくせいど・ろんぶ
ん・はっぴょうします

5.せんしゅう・スピードいはん

6.ふたつ・くに・のうぎょうかいはつ・きょう
つう・もんだい・もって

7.かれ・せんもん・にほん・ひかくぶんか

8.さんせいいけん・はんたいいけん・はんぶん・
きめられなかった

9.おなじ・いみ・あらわす・ひょうげん・つか
われる

10.2たい1・かった

書き練習　Ⅰ.（p.220）

1.比較する　2.対比する　3.反対する

4.賛成する　5.共通する問題　6.直接表現

7.初めて　8.直す

書き練習　Ⅱ.（pp.220-221）

1.最初　2.交通違反　3.質問に対する答え

4.対人関係　5.共和国　6.直後　7.直接　8.間接

9.発表する　10.表面　11.表す　12.比べる

13.比較的　14.現金　15.現在　16.初歩　17.初雪

18.反応　19.反する　22.共同研究

書き練習　Ⅲ.（p.221）

1.薬を飲んでも、なかなか効果が現れない。

2.弟は、あまり感情を顔に表さない。

3.先生は、学生の質問に対して一つ一つていね
いに答えてくれる。

4.作者の考え方がどの作品にもよく反映されて
いる。

5.子どもたちは、以前に比べて家の中で遊ぶこ
とが多くなった。

読み物（p.222）

e.g. 1.日本が戦後短期間に経済成長をし、経済
　　　先進国になったことです。

　　2.賛成です。～と思うからです。／
　　　反対です。～と思うからです。

3.日本と英国の経済システムの比較です。

知っていますかできますか（pp.223-225）

練習　Ⅰ.

1.⺩（おうへん）：かんきょう

2.亻（にんべん）：ぐうぜん

3.扌（てへん）：しょうたい

4.糸（いとへん）：とうけい

5.艹（くさかんむり）：ちょしゃ

6.辶（しんにょう）：ぎゃくせつ

練習　Ⅱ.

1.5画：せだい

2.5画：えいきゅう

3.6画：こうけい

4.6画：しぼう

5.7画：とうふ

6.9画：しゅしょう

練習　Ⅲ.

1.ヒツ：ひつよう

2.ヒ：ひかく

3.ヒョウ：ひょうめん

4.サク／サ：さよう

5.ジュウ：じゅうりょく

6.セイ：せいめい

練習　Ⅳ.

1.しょり／そくど

2.つうしん／ぎじゅつ／りろん

3.けいざい／きょうりょく／かいはつ／ぶ

Lesson 45

読み練習　Ⅰ.（p.231）

1.ぜんこく　2.さいこう　3.むりな

4.ひかがくてき　5.だいいっか　6.もくてき

7.じょせい　8.せいしつ　9.ほうほう　10.せいど

11.もっともあたらしいじょうほう＝さいしん
じょうほう

12.もっともじゅうようなしょるい＝さいじゅ

うようしょるい

13. むりょう↔ゆうりょう　14. むいみな

読み練習　Ⅱ. (p.231)

1. にほん・きょういくせいど・6・3・3・4せい

2. かれ・こくさいこうりゅうか・かちょう

3. ようほう・ちがい・せつめいしなさい

4. くに・ひとびと・こくみんせい・かいほうてき・しんぽてき・いわれる

5. さいきん・ちゅうがくせい・しょうがくせい・ひこう・ふえて

6. ひこうき・おちた・じょうきゃく・ぜんいん・ぶじ

7. かれ・いま・しんりてき・ひじょう・ふあんてい

8. だい3かい・けいざいかいぎ・とうきょう・ひらかれた

書き練習　Ⅰ. (p.232)

1. 全部　2. 最初　3. 無料　4. 非常口　5. 第四課

6. 目的　7. 性別　8. 方法　9. 教育制度

10. 人事課

書き練習　Ⅱ. (pp.232-234)

1. 全員　2. 全国　3. 全体　4. 最近　5. 最後＝最終

6. 最大　7. 最小　8. 無知　9. 無関心　10. 無意味

11. 無事　12. 非科学的　13. 非論理的

14. 非公式　15. 第三者　16. 第二回

17. 第五次計画　18. 感情的な　19. 近代的な

20. 実用的な　21. 理論→理論的な→理論化する

22. 生産する→生産的な→生産性　23. 人間性

24. 社会性　25. 男性　26. 女性

27. 使用法＝使い方　28. 商法　29. 民法

30. 四年制の大学　31. 三交代制　32. 制度化する

33. 経理課　34. 課長

書き練習　Ⅲ. (p.234)

1. 駅前には、近代的なビルが並んでいる。

2. 最近の大学生は、比較的政治に無関心だ。

3. 第45課の文法説明は、分かりやすい。

4. 弟は高校を出て、4年制の大学に進んだ。

5. その計画はあまりに非現実的だ。

復習 41-45

Ⅰ. (p.239)

1. 無／生物：生物ではないこと

2. 非／科学／的：科学的ではないこと

3. 最／新／情報：最も新しい情報

4. 卒業／者／数：卒業した者(人)の数

5. 不／得意／科目：得意ではない科目

6. 比較／文化／研究：文化を比較する研究

7. 大／家族／制度：大人数の家族の制度

8. 効果／的／学習／法：効果がある学習の方法

Ⅱ. (p.239)

1. (6・3・3・4)制　2. 全(人口)　3. (生産)性

4. (効果)的　5. (史上)最(強)

6. 無(事故)・無(違反)　7. 不(必要)

8. (制度)化

Ⅲ. (p.240)

1. 最低　2. 退化　3. 安心　4. 減少　5. 卒業

6. 退院　7. 以後　8. 不自由　9. 私的　10. 全部

11. 後退　12. 以下　13. 最後　14. 和風

15. 直接的　16. 女性的　17. 非論理的　18. 感情的

Ⅳ. (p.240)

1. b. 不賛成　2. b. 日本風　3. c. 実用化

4. b. 進歩的　5. a. 男性用　6. c. 使用法

7. b. 感情的　8. b. 会員制

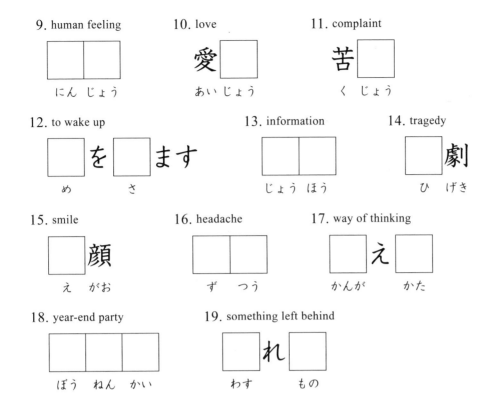

9. human feeling
□□
にん じょう

10. love
愛□
あい じょう

11. complaint
苦□
く じょう

12. to wake up
□を□ます
め   さ

13. information
□□
じょう ほう

14. tragedy
□劇
ひ げき

15. smile
□顔
え がお

16. headache
□□
ず つう

17. way of thinking
□え□
かんが かた

18. year-end party
□□□
ぼう ねん かい

19. something left behind
□れ□
わす   もの

Ⅲ. 次の文を習った漢字を使って書きましょう。

1. ぼうねんかいでさけをのみすぎて、ずつうがする。

2. つめたいゆきのなかでしごとをしていると、てのかんかくがなくなる。

3. ははのびょうきがなおって、あんしんした。

4. けんきゅうしつにおなじくにのひとがいるので、こころづよい。

5. テレビやしんぶんがなくて、じょうほうがてにはいりにくい。

ユニット3 ・・・・・・・・・・・・・・・・・・・・・・・・・・・・・・・・・・・・ 読み物

＜体と心＞

あなたの ストレス度 をチェック!!

出発点にある質問に答えてください。

答えが「はい」のときは「──▶」、「いいえ」のときは「----▶」のほうにすすみましょう。

出発点

あまり食べたくない	急に意味もなく笑う	理由もなく泣きたくなる	悲しい死を考えることもある ▶ **A**
食べすぎてしまう間食も多い	自分がいやになることがある	1週間に1、2回よく寝られない	疲れたとき、ケーキやチョコレートがほしい ▶ **B**
寝ても疲れがとれないよく頭痛がする	時間があっても何をすればいいか分からない	目上の人にたのまれると、いやと言えない	イライラして、タバコやコーヒーがほしい ▶ **C**
予定をたてるのが好きだ	いつもイライラしていると感じる	元気がなく趣味やスポーツをあまりしない	家の中がきれいでないとおちつかない小さいことがとても気になる ▶ **D**

*ストレス　stress (mental, emotional)
　死　death
しに
　いやと言う　to say "No"
　趣味　hobbies
しゅみ

～度　degree of ～
と
～がいやになる　to be disgusted with ～
イライラする　to be irritated, to be nervous

A ストレス度 80 ～ 100%

　あなたは、ストレスがとても高いグループに入ります。危険！　一番いいことは、すぐに長い休みを取って、どこかへ出かけること。外国に行くか、海や山でのんびり。とにかく気分を変えることが大切です。休みを取っても、家で寝ているだけというのはダメですよ！　生活を朝中心に変えてください。問題がある場合は、専門家に相談しましょう。

B ストレス度 50 ～ 80%

　あなたはストレスによわいタイプです。今もストレスがたまっています。毎日の食生活をもう一度考えてみてください。チョコレートやケーキなど、あまい物を食べすぎていませんか。カロリーの取りすぎは、イライラの原因です。肉より野菜を食べましょう。休日はアウトドア・ライフを楽しんでください。

C ストレス度 20 ～ 50%

　あなたのストレス度は、かるいです。それほど大きい問題はありませんから、心配しなくてもいいですが、ストレスがたまらないようにすることは大切です。飲みすぎ、食べすぎには注意しましょう。カラオケで歌う、スポーツをするなどがいいでしょう。

D ストレス度 0 ～ 20%

　あなたは上手にストレスをコントロールすることができます。いやなことは早く忘れて、何にでも関心を持つことができる人ですね。安心して、楽しい生活を続けてください。

＊危険 danger 　　　　　変える to change 　　　　専門家 specialist
　原因 cause 　　　　　　野菜 vegetables 　　　　心配する to worry
　続ける to continue

知っていますか できますか

＜体の部分 (Body Parts)＞

1. ☐
2. ☐
3. ☐
4. ☐
5. ☐
6. ☐
7. ☐
8. ☐
9. ☐

鼻（はな）
肩（かた）
腕（うで）
首（くび）
胸（むね）
ひじ
腹（はら）
腰（こし）
ひざ
つま先
かかと

心臓（しんぞう）
肺（はい）
胃（い）
腸（ちょう）

体の部分の名前を覚えましょう。

1. 頭 (あたま)
2. 顔 (かお)
3. 目 (め)
4. 耳 (みみ)
5. 鼻 (はな)
6. 口 (くち)
7. 歯 (は)
8. 首 (くび)
9. 肩 (かた)
10. 胸 (むね)
11. 心臓 (しんぞう)
12. 肺 (はい)
13. 腹 (はら)
14. 胃 (い)
15. 腸 (ちょう)
16. 腰 (こし)
17. 手 (て)・腕 (うで)
18. 指 (ゆび)
19. 足・脚 (あし)

上の漢字の中には、その部首に「月」があるものが多いですね。

この部首は、「肉」をあらわします。

　：胸　肺　腹　腸　腰　腕　脚

　：肩　胃

「臓」の漢字は、内臓 (ないぞう, internal organs) の名前に使われます。

　　心臓 (しんぞう) heart

　　肝臓 (かんぞう) liver

　　すい臓 (すいぞう) pancreas

　　じん臓 (じんぞう) kidney

動詞の漢字 -5- 自動詞と他動詞 (Verbs -5- Intransitive Verbs and Transitive Verbs)
どうし　　　　　　じどうし　たどうし

動詞の漢字の中には、送りがながかわると、自動詞から他動詞に、他動詞か
ら自動詞にかわるものがあります。
じどうし　　　　　たどうし

子どもたちが集まる
あつ

切手を集める
あつ

家が焼ける
や

パンを焼く
や

次の漢字は、自動詞か他動詞かで読み方が違います。

入　（自）：家の中に入る
　　　　　　　　　　はい
　　（他）：本をカバンの中に入れる
　　　　　　　　　　　　　　　い

出　（自）：家の外に出る
　　　　　　　　　　で
　　（他）：本をカバンの中から出す
　　　　　　　　　　　　　　　だ

消　（自）：火が消える
　　　　　　　　き
　　（他）：火を消す
　　　　　　　　け

自動詞		他動詞
～　が　Vi.	vs.	～　が　～　を　Vt.
Intransitive Verbs		Transitive Verbs

1.
-aru	**-eru**
止まる	止める
閉まる	閉める
始まる	始める
集まる（あつまる）	集める（あつめる）
伝わる（つたわる）	伝える（つたえる）
代わる（かわる）	代える（かえる）
変わる（かわる）	変える（かえる）

2.
-u	**-eru**
立つ	立てる
開く	開ける
並ぶ（ならぶ）	並べる（ならべる）
進む（すすむ）	進める（すすめる）
続く（つづく）	続ける（つづける）

3.
-u	**-asu**
動く	動かす
喜ぶ（よろこぶ）	喜ばす（よろこばす）
驚く（おどろく）	驚かす（おどろかす）

4.
-ru	**-su**
通る	通す
渡る	渡す
移る（うつる）	移す（うつす）

5.
-eru	**-u**
割れる	割る
折れる	折る
焼ける（やける）	焼く（やく）
脱げる（ぬげる）	脱ぐ（ぬぐ）

6.　その他：入る／入れる　　出る／出す　　落ちる／落とす
　　　　　　乗る／乗せる　　消える／消す　　降りる／降ろす　　　など

ユニット2 .... 第 37 課の基本漢字

2-1 漢字の書き方 ....

漢字	意味	くんよみ	オンヨミ	（画数）

410 伝 transmit　　つた-わる　つた-える　　デン　　（6）

ノ　イ　イ　仁　伝　伝

伝(つた)える to inform, to transmit　　　伝記(でん・き) biography

＊手伝(てつだ)う to help, to assist　　　伝言(でん・ごん) message

411 代 substitute / fee　　か-わる　か-える　　ダイ　タイ　　（5）

ノ　イ　イ　代　代

代(か)わる to substitute, to replace　　　部屋代(へ・や・だい) rent for a room

時代(じ・だい) era, period　　　交代(こう・たい)する to take turns

412 呼 call　　よ-ぶ　　コ　　（8）

丨　口　口　呼　呼　呼　呼　呼

呼(よ)ぶ to call　　　呼吸(こ・きゅう) breath

呼出(よび・だ)し call, summons

漢字	意味	くんよみ	オンヨミ	（画数）

413 焼
burn
や-ける
や-く
ショウ
(12)

｜ 丶 ｿ 火 灯 灶 灶 烂 炷 焼 焼 焼

焼(や)く to burn, to grill

焼(や)き肉(にく) grilled meat

日焼(ひ・や)け suntan, sunburn

全焼(ぜん・しょう)する to be burned down

414 曲
bend, curve
melody
ま-がる
ま-げる
キョク
(6)

｜ 冂 冂 曲 曲 曲

曲(ま)がる to curve, to be bent

曲線(きょく・せん) curved line

曲(ま)げる to bend

作曲家(さっ・きょく・か) composer

415 脱
undress
escape
ぬ-げる
ぬ-ぐ
ダツ／ダッ-
(11)

｜ 冂 月 月 月 肝 肝 胪 肸 胪 脱

脱(ぬ)ぐ to undress, to take off

脱落(だつ・らく)する to drop out

脱出(だっ・しゅつ)する to escape

脱水(だっ・すい)する to dehydrate, to remove water

416 別
separate
another
わか-れる
ベツ
(7)

｜ 冂 口 号 另 別 別

別(わか)れる to part, to separate from

別(べつ)の different, another

特別(とく・べつ)な special

区別(く・べつ) distinction

漢字	意味	くんよみ	オンヨミ	（画数）

417 集 — collect / assemble — あつ-まる / あつ-める — シュウ （12）

ノ イ イ 亻 什 伟 隹 隹 隼 隼 集 集

集（あつ）める to collect

集（あつ）まる to gather

集合（しゅう・ごう）する to gather

集中（しゅう・ちゅう）する to concentrate

418 並 — line up — なら-ぶ なみ / なら-べる — ヘイ （8）

丶 丷 䒑 丷 丷 並 並 並

並（なら）ぶ to line up

並木（なみ・き）a row of trees

並（なみ）の ordinary

並列（へい・れつ）parallel

419 喜 — joy / pleasure — よろこ-ぶ — キ （12）

一 十 土 吉 吉 吉 声 吉 壴 壴 喜 喜

喜（よろこ）ぶ to be glad

喜（よろこ）び pleasure

喜劇（き・げき）comedy

420 驚 — surprise — おどろ-く — キョウ （22）

一 十 卝 芢 芍 芍 苟 苟 苟ノ 苟ヘ 敬ケ 敬ケ 敬ゲ

驚 驚 驚 驚 驚 驚 驚 驚

驚（おどろ）く to be surprised

驚（おどろ）き surprise

驚異（きょう・い）wonder

2-2 読み練習 ....

Ⅰ．次の漢字の読み方をひらがなで書きなさい。

 1. 喜ぶ　　 2. 驚く　　 3. 別れる　　 4. 呼ぶ　　 5. 伝える

 6. 代わる　　 7. 焼く　　 8. 脱ぐ　　 9. 集める　　 10. 並ぶ

 11. 曲がる　　 12. 伝言

Ⅱ．次の文を読んでみましょう。

 1. 朝 9 時に駅の前に集合するように伝えてください。

 2. 留学生を代表して、喜んであいさつさせていただきます。
　　　　　　ひょう

 3. 名前を呼ぶまで並んで待っていてください。

 4. そのかどを右に曲がると、小さい家が並んでいます。

 5. 「友人の代わりに東京へ行く」という伝言を聞いて驚いた。

 6. 家に入るとき、脱いだくつをきちんと並べてください。

 7. 家が焼けたと聞いて、急いで走ってくつが脱げた。

 8. 集まった人の前で彼は特別に一曲歌ってくれました。

2-3 書き練習 ....

Ⅰ. 次の□に適当な漢字を書きなさい。

1. to inform

える
つた

2. to replace

わる
か

3. to call

ぶ
よ

4. to burn

く
や

5. to curve

がる
ま

6. to take off

ぐ
ぬ

7. to part

れる
わか

8. to gather

まる
あつ

9. to line up

ぶ
なら

10. to be glad

ぶ
よろこ

11. to be surprised

く
おどろ

Ⅱ. ことばの意味を考えて、適当な漢字を書いてみましょう。

1. message

でん　ごん

2. biography

でん　き

3. to represent

表する
だい ひょう

4. cost

だい　きん

5. era

じ　だい

6. breath

吸
こ　きゅう

7. A house burns down.

が全　　する ＝ 　が全　　　ける
いえ ぜんしょう　　　いえ ぜん ぶ や

150

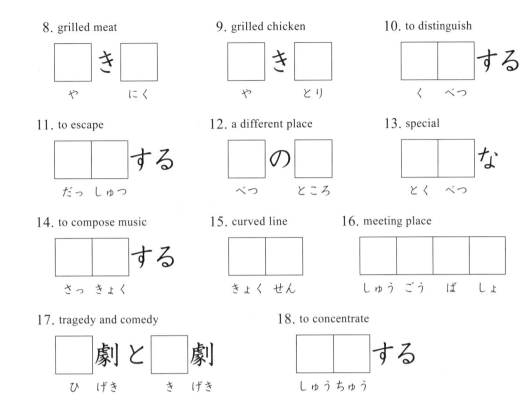

8. grilled meat
□ き □
や　　にく

9. grilled chicken
□ き □
や　　とり

10. to distinguish
□ □ する
く　べつ

11. to escape
□ □ する
だっ　しゅつ

12. a different place
□ の □
べつ　　ところ

13. special
□ □ な
とく　べつ

14. to compose music
□ □ する
さっ　きょく

15. curved line
□ □
きょく　せん

16. meeting place
□ □ □
しゅう　ごう　ば　しょ

17. tragedy and comedy
□ 劇 と □ 劇
ひ　げき　　き　げき

18. to concentrate
□ □ する
しゅうちゅう

Ⅲ. 次の文を習った漢字を使って書きましょう。

1. しょうねんじだいには、たのしいおもいでがたくさんある。

2. ここはひとがおおいから、どこかべつのところではなしましょう。

3. にほんのじんこうは、だいとしにしゅうちゅうしている。

4. すみませんが、ちちにでんごんをおねがいします。

5. 「えいご」の「えい」と「えいが」の「えい」はべつのかんじです。

ユニット3 ‥‥‥‥‥‥‥‥‥‥‥‥‥‥‥‥‥‥‥‥‥‥ 読み物

<伝言ゲーム>

　学生は2組に分かれて、キャプテンを決める。①まず、キャプテンが伝言文を覚える。時間は3分で、メモをとってもよい。②キャプテンはその伝言文を次の人に伝える。③次の人はその次の人に伝える。④最後の人は聞いた文を紙に書いて、先生に見せる。＊先生はかかった時間、書いた文が正しいかどうか、いくつ漢字を使っているかなどを見て、勝ちを決める。

--- 伝言文1 ---

きのうの晩、リーさんから電話がありました。頭が痛くて、熱も高いそうです。すぐ車でリーさんの部屋に行きましたが、今朝になっても、熱は下がりません。これから病院に連れていくので、午後のゼミに出られません。山中先生に「欠席する」と伝えてください。

田中　道子

--- 伝言文2 ---

先週の土曜日に焼き鳥屋でラオさんに会いました。彼は2か月ぐらい国へ帰っていて、前の日に日本へもどったところだと言っていました。あなたが来週こちらへ来ることを話したら、とても喜んで、ぜひ会いたいと言っていましたから、いっしょに飲みませんか。よかったら、来週の日曜日、夕方6時半に駅で待ち合わせをしましょう。

木村　良夫

--- 伝言文3 ---

今月は旅行したので、お金を全部使ってしまいました。31日にアパートの部屋代を払わなければならないのですが、1万円しかありません。すみませんが、2万5千円ほど貸してもらえませんか。来月の10日にはきっと返します。お願いします。

並木　公一

＊伝言文1〜3のうち、適当なものを選んでやってください。先生はまず、文をそれぞれのキャプテンに見せ、読み終わったら、返してもらってください。読む時は、こえを出さないように注意してください。ゲームが終わってから、みんなに伝言文と学生の書いた文を見せて、説明します。

＜漢字のレタリング (Kanji Lettering) ＞

1.〜 15. のレタリングはどこで使われていますか。下の場所に番号を入れて
みましょう。

会社	1.		店			その他	

道路			病院		

1.

2.

3.

4.

5.

6.

7.

8.

9.

10.

11.

12.

13.

14.

15.

第 38 課
だい か

形容詞の漢字 -3- (Adjectives -3-)
けいよう し

イ形容詞の対 つい pairs				
大きい	⟷ 小さい	高い	⟷ 低い
新しい	⟷ 古い	高い	⟷ 安い
長い	⟷ 短い	太い	⟷ 細い
多い	⟷ 少ない	強い	⟷ 弱い
明るい	⟷ 暗い	広い	⟷ 狭い
遠い	⟷ 近い	速い	⟷ 遅い
良い	⟷ 悪い	早い	⟷ 遅い
楽しい	⟷ 悲しい	重い	⟷ 軽い
冷たい	⟷ 熱い	寒い	⟷ 暑い
涼しい	⟷ 暖かい	白い	⟷ 黒い

ナ形容詞の対			
便利だ	⟷ 不便だ	親切だ	⟷ 不親切だ
簡単だ	⟷ 複雑だ	適当だ	⟷ 不適当だ

不規則な対
ふ きそく
irregular

苦しい ⟷ 楽だ

難しい ⟷ やさしい ／ 簡単だ

正しい ⟷ 間違っている（動詞）

忙しい ⟷ ひまだ

若い ⟷ 年よりだ（名詞）

元気だ ⟷ 病気だ（名詞）

154

ユニット2 ・・・・・・・・・・・・・・・・・・・・・・・・・ 第38課の基本漢字

2-1 漢字の書き方 ・・

漢字	意味	くんよみ	オンヨミ	（画数）

421

| 細 | thin
slender | ほそ-い
こま-かい | サイ | （11） |

く 纟 纟 纟 糸 糸 糸 糾 約 細 細

細（ほそ）い thin, slender 　　　　　細部（さい・ぶ）details

細（こま）かい small, detailed 　　　細分化（さい・ぶん・か）する to be specialized

422

| 太 | fat
big | ふと-い
ふと-る | タイ | （4） |

一 ナ 大 太

太（ふと）い fat, thick 　　　　　太陽（たい・よう）the sun

太（ふと）る to get fat 　　　　　太平洋（たい・へい・よう）the Pacific Ocean

423

| 重 | heavy
important | おも-い | ジュウ | （9） |

一 二 千 千 千 盲 重 重 重

重（おも）い heavy 　　　　　体重（たい・じゅう）weight

重大（じゅう・だい）な important 　　　重力（じゅう・りょく）gravity

漢字	意味	くんよみ	オンヨミ	（画数）

424

| 軽 | light | かる-い | ケイ | （12） |

一　ー　ｒ　百　旦　車　車　軒　軡　軽　軽　軽

軽(かる)い light

軽食(けい・しょく) snack

軽油(けい・ゆ) gasoline, light oil

軽自動車(けい・じ・どう・しゃ) compact car

425

| 狭 | narrow | せま-い | キョウ | （9） |

ノ　ｊ　犭　犭　犭　狂　狂　狭　狭

狭(せま)い narrow

狭義(きょう・ぎ) the narrow sense (of a word)

426

| 弱 | weak | よわ-い
よわ-る | ジャク | （10） |

フ　コ　弓　弓　弓　弓　弓　弱　弱　弱

弱(よわ)い weak

弱(よわ)る to weaken

弱気(よわ・き)な timid, pessimistic

弱点(じゃく・てん) weak point

427

| 眠 | sleep | ねむ-い
ねむ-る | ミン | （10） |

丨　冂　冃　月　目　眨　眤　眠　眠　眠

眠(ねむ)い sleepy

眠(ねむ)る to sleep

冬眠(とう・みん) hibernation

安眠(あん・みん) good sleep

漢字	意味	くんよみ	オンヨミ	（画数）

428 苦 — pain, bitter — くる-しい　にが-い　くる-しむ — ク — (8)

一 十 サ 艹 芊 苦 苦 苦

苦(くる)しい　painful, hard　　苦(にが)い　bitter
苦(くる)しむ　to suffer　　苦痛(く・つう)　pain

429 簡 — simple, epistle — カン — (18)

ノ 广 广 广 广 竹 竹 竹 筲 筲 筲 簡 簡 簡
簡 簡 簡 簡

簡単(かん・たん)な　simple, easy
書簡(しょ・かん)　letter

430 単 — single — タン — (9)

丶 丷 丷 丷 꼭 当 当 単 単

単(たん)に　only, simply　　単語(たん・ご)　word
単位(たん・い)　unit, credit　　単数形(たん・すう・けい)　singular form (of a word)

2-2 **読み練習** ....

Ⅰ. 次の漢字の読み方をひらがなで書きなさい。

1. 細い　　2. 太い　　3. 重い　　　4. 軽い　　　5. 眠い

6. 細かい　　　7. 苦しい　　　8. 狭い　　　9. 弱い　　　10. 苦い

11. 簡単な

Ⅱ. 次の文を読んでみましょう。

1. グラムは重さの単位で、センチメートルは長さの単位です。

2. 私はこのごろ太って、体重が5キロも重くなりました。

3. きのうの晩、胸が苦しくて、眠れませんでした。
　　　　　 むね

4. 太平洋、大西洋、インド洋を三大洋という。
　 へい

5. 軽自動車は狭い道でも簡単に走れるから便利だ。

6. この子は手足も細いし、体も弱いし、いつも病気で苦しんでいる。

7. すみませんが、1万円を細かくしてくださいませんか。

8. この単語の意味が分かりません。

9. この苦い薬を飲むと、よく眠れる。

2-3 書き練習 ⠀⠀⠀· ·

Ⅰ．次の□に適当な漢字を書きなさい。

1. thin

ほそ

2. thick

ふと

3. heavy

おも

4. light

かる

5. narrow

せま

6. weak

よわ

7. sleepy

ねむ

8. painful

くる

9. simple

かん　たん

10. small

こま

11. bitter
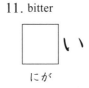
にが

Ⅱ．ことばの意味を考えて、適当な漢字を書いてみましょう。

1. small changes

こま　　　　かね

2. slender fingers

ほそ　　ゆび

3. fat（for a person）

ふと

4. the Pacific Ocean

たい　　よう

5. weight

たい　じゅう

6. important

じゅう　だい

7. gravity

じゅうりょく

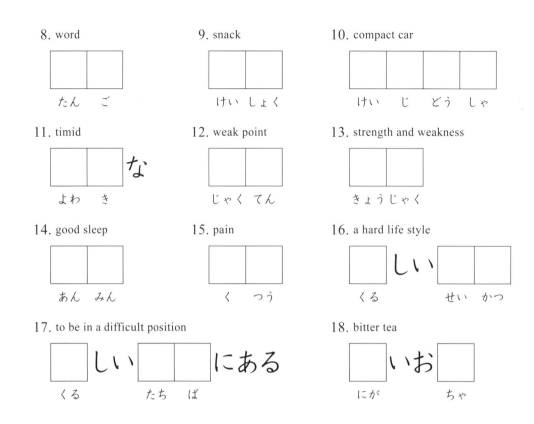

8. word
　たん　ご

9. snack
　けい　しょく

10. compact car
　けい　じ　どう　しゃ

11. timid
　　な
　よわ　き

12. weak point
　じゃく　てん

13. strength and weakness
　きょうじゃく

14. good sleep
　あん　みん

15. pain
　く　つう

16. a hard life style
　しい
　くる　　せい　かつ

17. to be in a difficult position
　しい　　　　にある
　くる　　たち　ば

18. bitter tea
　いお
　にが　　　ちゃ

Ⅲ. 次の文を習った漢字を使って書きましょう。

1. もりたさんはふとっているが、からだがよわい。

2. こまかいおかねがないので、ひゃくえんかしてください。

3. くるしいせいかつをしているがくせいがおおい。

4. えんだかについて、わかりやすくかんたんにせつめいしなさい。

5. こんげつは、じゅうだいなニュースがおおかった。

ユニット3 ···························· 読み物

＜おいしくて簡単！　カニ玉 (Crab Omelet) の作り方＞

材料 ingredients：

卵（＝玉子）(egg)	3個(three)
カニ(crab)	80g
ねぎ (spring onion)	少々
しょうが (ginger)	少々
片栗粉(starch)	小さじ (teaspoon)１
	大さじ (tablespoon)１
酒	大さじ１
塩(salt)	小さじ1/2
油	大さじ４
しいたけ (mushroom)	１まい
グリーンピース	大さじ１
スープ	カップ2/3
砂糖(sugar)	小さじ１
A　酢(vinegar)	小さじ２
しょうゆ (soy sauce)	大さじ１

作り方：①材料を切る。ねぎとしょうがは細かく、しいたけは細く切る。

②卵をとき、カニ、ねぎ、しょうがを入れ、塩（小さじ1/2）と酒（大さじ１）と片栗粉（小さじ１）を水（大さじ１）でといたものに加えて、よくまぜる。

③中華なべに油（大さじ４）を入れ、強火で熱して、②でまぜたものを１度に流し入れる。

④手早くかきまぜる。

⑤半分ぐらい固まったら、火を弱くして、卵を円形にまとめ、ひっくり返す。

⑥強火にして、焼き色をつけ、皿にのせる。

⑦あんを作る。片栗粉（大さじ１）をなべに入れ、スープでとかす。Ａを入れて、煮る。

⑧カニ玉にあんをかけて、できあがり。

＊なべ saucepan　　　中華なべ wok　　　皿 plate　　　あん sauce

＊料理でよく使う動詞：

（細かく切る）

（細く切る）

切る to cut

とく to beat（an egg）

まぜる to mix

かきまぜる to stir up

加える to add
くわ

流し入れる to pour

固まる to become hard, to set
かた

固める to harden (something)
かた

とける to melt

とかす to dissolve

ひっくり返す to turn over

熱する to heat
ねっ

煮る to boil
に

焼く to bake, to grill

炒める to fry lightly
いた

蒸す to steam
む

かける to pour on, to put on

（かきまぜる）

（ひっくり返す）

（書いてみよう）あなたの国の簡単な料理の作り方を説明してみましょう。

料理の名前：＿＿＿＿＿＿＿＿＿＿＿＿＿＿

材料：

作り方：

知っていますか　できますか

＜洋服についている記号 (Washing Clothes) ＞

1. せんいの種類 Types of Fabric

　綿 cotton　　毛 wool　　麻 linen　　絹 silk　　合成皮革 synthetic leather
　めん　　　　け　　　　あさ　　　　きぬ　　　ごうせい ひ かく

　ポリエステル polyester　　アクリル acrylic　　ナイロン nylon

2. 洗濯の仕方 how to wash
　　せんたく

 水温40℃以下 (less than)／洗濯機の弱水流で洗う

 30℃以下／手で洗う

 ドライクリーニングができる

 水で洗ってはいけない

 アイロンは高温 (180～210℃) でかけ、あてぬの (cloth) を使う

 アイロンは低温 (80～120℃) でかける

 手で弱くしぼる (to squeeze)

 塩素系 (chlorine) の漂白剤 (bleach)
　えん そ けい　　　　　ひょうはくざい

 日かげ (in the shade) のつり干し (hang dry) がよい
　　　　　　　　　　　ぼ

 日かげの平干し (lay flat to dry) がよい
　　　　　　　ひらぼ

[問題] この洋服は、どのように洗ったら
　　　　いいですか。

本　体　毛	65%
アクリル	27%
ナイロン	8%
皮革部分　合成皮革	

（書いてみよう） あなたの洋服についている記号を見て、洗い方を書いてみましょう。

第 39 課
だい か

ユニット1 ・・・・・・・・・・・・・・・・・・・・・・・・・・・・・・・・ 漢字の話

空港建設（Airport Construction）
くうこうけんせつ

手荷物宅配サービス

出発ロビー

セキュリティチェック

出国ゲート

入国審査

到着ロビー

チェックインカウンター

○○空港 新ビル建設中
完成予定 2020 年 8 月

ユニット2 ･････････････････････････ **第39課の基本漢字**

2-1 漢字の書き方 ････････････････････････････････････

漢字	意味	くんよみ	オンヨミ	（画数）
431 空	sky, air empty, vacant	あ-く　そら あ-ける	クウ	(8)

｀ ＞ 宀 宀 空 空 空 空

空(そら) the sky　　空気(くう・き) air

空席(くう・せき) vacant seat　　空間(くう・かん) space

432 港	port harbor	みなと	コウ	(12)

｀ ＞ 氵 氵 汁 汁 浒 浒 洪 洪 港 港

港(みなと) harbor, port　　空港(くう・こう) airport

港町(みなと・まち) port town　　出港(しゅっ・こう)する to leave port

433 飛	fly	と-ぶ と-ばす	ヒ	(9)

乀 飞 飞 飞 飛 飛 飛 飛 飛

飛(と)ぶ to fly　　飛行機(ひ・こう・き) airplane

飛行場(ひ・こう・じょう) airfield　　飛行船(ひ・こう・せん) airship

漢字	意味	くんよみ	オンヨミ	（画数）

434 階

floor
step

カイ

（12）

| ⁊ | ⻖ | ⻖ | ⻖⁻ | ⻖ᵇ | ⻖ˊ | 阰ʮ | 阰ʮ | 陼 | 階 | 階 | 階 | | |

〜階（かい）~ floor

一階（いっ・かい）the first floor

階段（かい・だん）stairs

段階（だん・かい）stage, step

435 建

build
construct

た-つ
た-てる

ケン

（9）

| ⁊ | ⁊ | ⼘ | ⼘ | ⼘ | 聿 | 肂 | 肂 | 建 | | | | |

建（た）つ to be built

建物（たて・もの）building

建（た）てる to build

建設（けん・せつ）する to construct

436 設

set up
establish

セツ／セッ-

（11）

| ` | ⺀ | ⺀ | 言 | 言 | 言 | 言 | 言 | 訊 | 設 | 設 | | |

設計（せっ・けい）する to plan, to design

設定（せっ・てい）する to set

設立（せっ・りつ）する to establish, to found

設備（せつ・び）equipment

437 完

complete

カン

（7）

| ⸍ | ⼌ | 宀 | 宇 | 宇 | 宇 | 完 | | | | | | |

完全（かん・ぜん）な perfect, complete

完了（かん・りょう）する to finish, to complete

完成（かん・せい）する to complete

漢字	意味	くんよみ	オンヨミ	（画数）

438 成 — form, emerge — な-る／なり — セイ — （6）

ノ 厂 厅 成 成 成

成人（せい・じん） adult 　　　　成功（せい・こう）する to succeed
成立（せい・りつ）する to be organized 　　成田（なり・た） Narita

439 費 — cost expense — ヒ — （12）

フ コ ヨ 串 弗 弗 弗 書 書 費 費 費

費用（ひ・よう） expenses 　　　交通費（こう・つう・ひ） transportation expenses
食費（しょく・ひ） food expenses 　　学費（がく・ひ） school expenses

440 放 — release let go — はな-す — ホウ — （8）

丶 亠 方 方 カ 扩 放 放

手放（て・ばな）す to part with, to let go of 　　開放（かい・ほう）する to open
放送（ほう・そう）する to broadcast

2-2 読み練習 ···

Ⅰ. 次の漢字の読み方をひらがなで書きなさい。

1. 空　　2. 港　　3. 飛ぶ　　4. 建てる　　5. 空港

6. 費用　　7. 四階　　8. 完成する　　9. 放送する

10. 建設する　　11. 成り立つ

Ⅱ. 次の文を読んでみましょう。

1. 成田空港から筑波まで車で1時間半ぐらいです。

2. 飛行機に乗ると、早く着くが、費用が高くなる。

3. 建設中の新空港は来年の10月に完成する予定だ。

4. そのホテルは40階建てのモダンな建物で、かなりの建設費が

かかった。

5. 先週テレビで放送された映画は、仕事がなくて港町を出て

いく若者の話だった。

6. 1月の第2月曜日は「成人の日」です。二十歳になった人を

成人といいます。

7. この建物を設計した人は、有名な建築家で飛行機も持っている。

8. 私の部屋は二階で、階段を上ってすぐ右にあります。

2-3 書き練習

Ⅰ. 次の□に適当な漢字を書きなさい。

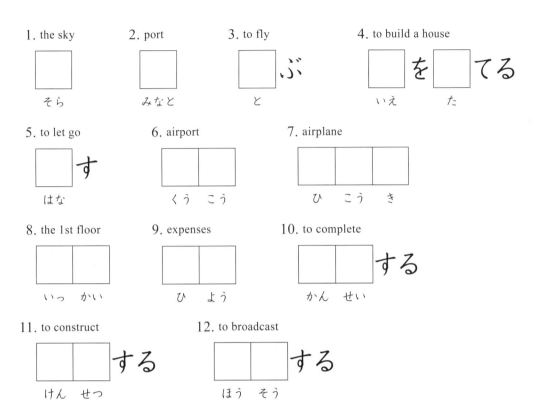

1. the sky
□
そら

2. port
□
みなと

3. to fly
□ぶ
と

4. to build a house
□を□てる
いえ　た

5. to let go
□す
はな

6. airport
□□
くう　こう

7. airplane
□□□
ひ　こう　き

8. the 1st floor
□□
いっ　かい

9. expenses
□□
ひ　よう

10. to complete
□□する
かん　せい

11. to construct
□□する
けん　せつ

12. to broadcast
□□する
ほう　そう

Ⅱ. ことばの意味を考えて、適当な漢字を書いてみましょう。

1. air
□□
くう　き

2. vacant seat
□□
くう　せき

3. space
□□
くう　かん

4. vacant
□いている
あ

5. port town
□□
みなと　まち

6. transportation expenses
□□□
こう　つう　ひ

7. airfield

□□□
ひ　こう　じょう

8. stairs

□段
かい　だん

9. to sell off one's car

車を□□す
　　　て　ばな

10. a four-story building

□□□ての□□
よん　かい　だ　　たて　もの

11. broadcasting station

□□□
ほう　そう　きょく

12. to design

□□する
せっ　けい

13. to establish a school

□□を□□する
がっ　こう　せつ　りつ

14. adult

□□
せい　じん

15. to be organized

□□する
せい　りつ

16. to succeed

□功する
せい　こう

Ⅲ. 次の文を習った漢字を使って書きましょう。

1. ふねがみなとをでることをしゅっこうといいます。

2. あいているせきのことをくうせきといいます。

3. でんしゃだいやバスだいなど、のりものにかかるひようのことを
こうつうひといいます。

4. ひこうきがはっちゃくするところをくうこうといいます。

5. 二十歳になったひとをお祝いするひをせいじんのひといいます。
　はたち　　　　いわ

ユニット3 ……………………………………… **読み物**

＜成田空港＞

　成田国際空港は、千葉県成田市にあり、成田空港とも呼ばれている。成田空港は、1977年に第1期工事が終わり、4000メートルの滑走路1本と、旅客ターミナルと貨物ターミナルが完成した。そして、次の年に開港したが、2本目の滑走路は、はじめの計画よりかなり遅れ、2002年4月にオープンした。2014年度に発着した飛行機は1日平均629便で、旅客9万7千人、貨物5598トンを運んだ。

　成田空港と都心を結ぶ交通機関は、主に電車とバスである。東京駅からは、JR線の特急成田エクスプレスや快速エアポート成田、上野駅からは京成特急スカイライナーが出ている。電車は時間が正確で、料金もそれほど高くないが、重い荷物を持って移動するのはたいへんである。一方、東京近くの主要な駅からはリムジンバスが運行しており、直通で便利だが、都内は道路がいつも混んでいて、時間がかかる。空港が都心から遠すぎるというのが多くの利用者の意見である。

＊国際 international	千葉県 Chiba Prefecture	第1期 the 1st period
滑走路 runway	貨物 air cargo	平均 average
快速 rapid train	京成（線） Keisei Line	正確な punctual
移動する to move	一方 on the other hand	主要な main
直通 non-stop service	混む to be crowded	利用者 user

[問題] リムジンバスと電車の長所と短所をそれぞれ書きなさい。

	長　　所	短　　所
リムジンバス		時間がかかる
電車		

知っていますか できますか

＜どこの国？ (Kanji Names for Foreign Countries) ＞

外国の国名や地名はふつうカタカナで書きますが、新聞などでは漢字の略語
(abbreviation) を使うことがあります。（　）内の表記は一例です。

米（亜米利加） アメリカ	西（西班牙） スペイン
伊（伊太利） イタリア	独（独逸） ドイツ
印（印度） インド	比（比律賓） フィリピン
蘭（阿蘭陀） オランダ	仏（仏蘭西） フランス
豪（濠太剌利） オーストラリア	伯（伯剌西爾） ブラジル
加（加奈陀） カナダ	欧州 ヨーロッパ

[問題]　つぎのことばの意味がわかりますか。

1. 来日する
2. 渡米する
3. 訪中する
4. 欧州旅行
5. 英仏海峡
6. 独首相

7. 全豪オープンテニス
8. 和文英訳
9. 印パ合同委員会
10. 英・独・西・伊・中・韓・露・日　各国語
11. 西和辞典・中日辞典
12. 前比大統領

第 40 課
だい　か

地理で使われる漢字 （Geographical Features）

地図には地形を表すいろいろなことばがたくさん出ています。どんなものが
あるか見てみましょう。

平野 （へいや） plain　　　　　高原 （こうげん） highlands
台地 （だいち） plateau　　　　山地 （さんち） mountainous area
半島 （はんとう） peninsula　　海洋 （かいよう） the ocean

砂漠 （さばく） desert　　山脈 （さんみゃく） mountain range　　盆地 （ぼんち） basin
運河 （うんが） canal　　湖 （みずうみ） lake　　河川 （かせん） river
湾 （わん） bay

ユニット2 ‥‥‥‥‥‥‥‥‥‥‥‥‥‥ 第40課の基本漢字

2-1 漢字の書き方 ‥‥‥‥‥‥‥‥‥‥‥‥‥‥‥‥‥‥‥‥‥‥‥

漢字	意味	くんよみ	オンヨミ	（画数）

441 位

意味	position rank	くんよみ	くらい	オンヨミ	イ	（7）

ノ イ イ イ゛ 仁 位 位

位（くらい） rank

第一位（だい・いち・い） first place

学位（がく・い） academic degree

地位（ち・い） position

442 置

put place		お-く		チ	（13）

丨 冂 冂 罒 罒 罒 罒 置 罩 罟 冒 置 置

置（お）く to put, to set, to lay

位置（い・ち） position, location

置（お）き時計（どけい） table clock

設置（せっ・ち）する to establish

443 横

horizontal side, wide		よこ		オウ	（15）

一 十 オ 木 木 杧 杧 枡 枡 栺 横 横 横
横

横（よこ） side, width

横浜（よこ・はま） Yokohama

横断（おう・だん） crossing

横転（おう・てん）する to turn over

漢字	意味	くんよみ	オンヨミ	（画数）

444 向 direction / turn toward — む-く　む-こう　む-ける　コウ　(6)

ノ　 イ　冂　向　向　向

向(む)く to turn toward　　南向(みなみ・む)き facing south

向(む)こう the other side, over there　　方向(ほう・こう) direction

445 原 plain / original — はら　ゲン　(10)

一　厂　厂　厂　庐　盾　盾　原　原　原

野原(の・はら) field, plain　　原子(げん・し) atom

原因(げん・いん) cause　　高原(こう・げん) highlands, heights

446 平 flat / calm — たい-ら　ヘイ　ビョウ　(5)

一　一　丏　立　平

平(たい)らな flat, even　　平日(へい・じつ) weekday

平野(へい・や) plain　　平等(びょう・どう) equality

447 野 field — の　ヤ　(11)

丨　口　日　日　甲　甲　里　野　野　野　野

野山(の・やま) hills and fields　　分野(ぶん・や) field (of study)

野菜(や・さい) vegetables　　野球(や・きゅう) baseball

175

漢字	意味	くんよみ	オンヨミ	（画数）

448 風 — wind, manner — かぜ — フウ — （9）

ノ 几 几 凡 凡 同 風 風 風

風（かぜ）wind 台風（たい・ふう）typhoon

風邪（かぜ）cold, flu 和風（わ・ふう）Japanese-style

449 両 — both, money — — リョウ — （6）

一 丆 丙 両 両 両

両親（りょう・しん）one's parents 車両（しゃ・りょう）vehicle, car

両替（りょう・がえ）exchange (of currency) 両方（りょう・ほう）both

450 橋 — bridge — はし — キョウ — （16）

一 十 才 才 杧 栌 栌 栌 栌 棒 棒 橋 橋 橋 橋

橋（はし）bridge 鉄橋（てっ・きょう）steel bridge

歩道橋（ほ・どう・きょう）pedestrian bridge

2-2 読み練習 ....

Ⅰ．次の漢字の読み方をひらがなで書きなさい。

1. 風　　 2. 向き　　 3. 横　　 4. 橋　　 5. 両方　　 6. 置く

7. 位置　　 8. 方向　　 9. 平野　　 10. 高原　　 11. 台風

Ⅱ. 次の文を読んでみましょう。

1. いろいろな専門分野の研究者が集まって会議を開いた。
せん

2. 和風の料理と洋風の料理と、どちらが好きですか。

3. 日本は太平洋の西に位置している。

4. この土地は1平方メートル当たり5万円ぐらいです。

5. 地図で見ると、この平野は、東に高原、北に山地があり、西

が海に面しているので、風が強そうだ。

6. 台風が西南の方向から接近しているから、外に出るときは
approaching

強風に注意してください。

7. 彼は原子力発電所で働いている。

8. 銀行のATMでの引き出しは、平日は9時から6時まで

無料です。土日は手数料がかかります。

9. 私の両親は野球もサッカーも好きで、両方ともよくテレビで
きゅう

見ています。

10. この野原の向こうにきれいな花畑がある。

11. 橋を渡って、地理学研究所の横を入ると、郵便局があります。
ゆう

2-3 書き練習 ···

Ⅰ. 次の□に適当な漢字を書きなさい。

1. location
□□
い ち

2. direction
□□
ほう こう

3. side
□
よこ

4. bridge
□
はし

5. wind
□
かぜ

6. plain
□□
へい や

7. one's parents
□□
りょう しん

8. to turn toward
□く
む

Ⅱ. ことばの意味を考えて、適当な漢字を書いてみましょう。

1. academic degree
□□
がく い

2. position
□□
ち い

3. steel bridge
□□
てっ きょう

4. Yokohama
□浜
よこ はま

5. to put
□く
お

6. ornament
□□
おき もの

7. exchange (of currency)
□替
りょう がえ

8. both
□□
りょう ほう

9. the other side
□こう
む

10. facing south
□□き
みなみ む

11. field (of study)
□□
ぶん や

12. field, plain
□□
の はら

13. vegetables
□菜
や さい

14. cause
□因
げん いん

15. highlands
□□
こう げん

16. raw material
□□
げん りょう

178

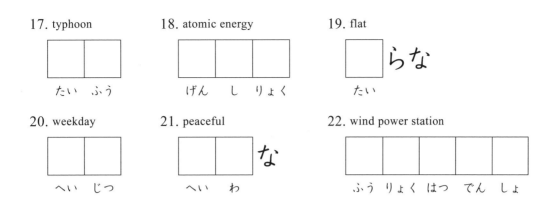

17. typhoon
たい　ふう

18. atomic energy
げん　し　りょく

19. flat
たい らな

20. weekday
へい　じつ

21. peaceful
へい　わ な

22. wind power station
ふう　りょく　はつ　でん　しょ

Ⅲ. 次の文を習った漢字を使って書きましょう。

1. かんとうちほうにたいふう9ごうがちかづいています。

2. こんやはへいやぶでもおおあめになるでしょう。

3. ごご4じのいちは、伊豆はんとうのみなみ30キロのかいじょうです。
　　い　ず

4. たいふうはふうそく20メートルのスピードでほくほくとうにむかって

　すすんでいます。

5. よこはまにすんでいるりょうしんからでんわがあって、

　「かぜがつよくなってきたから、いえがしんぱいだ」といっていました。

ユニット３ ・・・・・・・・・・・・・・・・・・・・・・・・・・・・・・・・・ 読み物

＜日本＞

　日本は太平洋の西に位置している島国で、まわりは全部海にかこまれている。北海道、本州、四国、九州という四つの大きな島と、たくさんの小さな島からできている。南北の長さは約3000キロメートル、面積は37万平方キロメートルである。東は太平洋、西は日本海で、外国とは直接接していない。

　日本は山国で、地図を見ると、平らな部分が海の近くに少ししかないのがよくわかる。国土の三分の二が山地である。山地のほとんどは火山の活動によってできたもので、今でも活動している火山も多く、その近くには温泉もあって、旅行者が多い。

　平野の部分には人がたくさん住んでいる。日本で一番広い平野は関東平野である。日本の首都、東京は関東平野の中心部にあって、日本の人口の十分の一にあたる約1200万人がこの大都市に集中している。

＊全部 all	本州 Honshu	面積 area, square measure
～平方キロメートル ～square kilometers		直接 direct
接する to touch	国土 country, territory	三分の二 two thirds, 2/3
温泉 hot spring	首都 capital	～にあたる to be equal to ～

[質問]

1. 日本の人口はどのくらいですか。

2. 温泉はどんな所にありますか。

3. 日本には平地と山地とどちらが多いですか。その割合はどのくらいですか。

4. 日本の面積はどのくらいですか。

(書いてみよう) あなたの国の地理について書いてみましょう。

復習
ふく しゅう
Review Lesson 36-40

N： 心　頭　横　港　橋　風　空　（関)心　情(報)
（時)代　単位　空港　費(用)　位置　（方)向
原(子)　（分)野　平野　両(親)

A： 細い　太い　重い　軽い　狭い　弱い　悲しい
眠い　苦しい　細かい　苦い

NA： （特)別な　簡単な

V： 感じる　泣く　笑う　覚える　忘れる　考える
伝える　代わる　呼ぶ　焼く　曲がる　脱ぐ
（手)伝う　集める　並べる　別れる　喜ぶ　驚く
飛ぶ　建てる　置く

VN： 完成する　放(送)する　集(中)する　建設する

Suffix： ～階　～代　　　　　　　　　　　　　（51字)

Ⅰ．次の漢字語は、「する」をつけて動詞として使うことができますか、
「な」をつけて形容詞として使うことができますか。両方できないときは、
「×」と書きなさい。

1. 感情（　　　）　　　　11. 通知（　　　）

2. 伝言（　　　）　　　　12. 位置（　　　）

3. 方向（　　　）　　　　13. 空港（　　　）

4. 簡単（　　　）　　　　14. 建設（　　　）

5. 高原（　　　）　　　　15. 特別（　　　）

6. 完成（　　　）　　　　16. 安眠（　　　）

7. 関心（　　　）　　　　17. 重大（　　　）

8. 平野（　　　）　　　　18. 両方（　　　）

9. 集中（　　　）　　　　19. 費用（　　　）

10. 弱点（　　　）　　　　20. 放送（　　　）

Ⅱ．形が似ている漢字 Similar-looking kanji

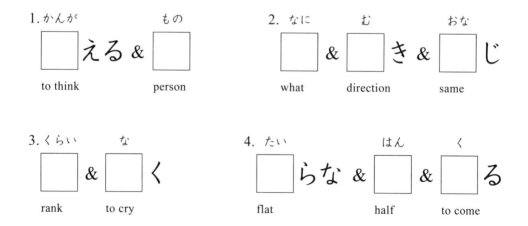

1. かんが　□える & もの□
to think　person

2. なに□ & む□き & おな□じ
what　direction　same

3. くらい□ & な□く
rank　to cry

4. たい□らな & はん□ & く□る
flat　half　to come

182

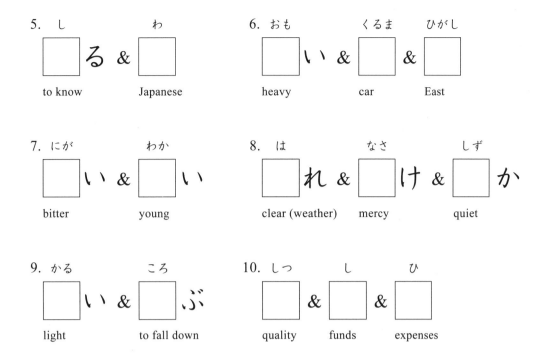

5. し □る & わ □
to know   Japanese

6. おも □い & くるま □ & ひがし □
heavy   car   East

7. にが □い & わか □い
bitter   young

8. は □れ & なさ □け & しず □か
clear (weather)   mercy   quiet

9. かる □い & ころ □ぶ
light   to fall down

10. しつ □ & し □ & ひ □
quality   funds   expenses

Ⅲ. 正しいものを選びなさい。

1. 山田先生の (a. 研空室　b. 研究室　c. 研究屋) の横に何がありますか。

2. 新しいビルを (a. 建誌　b. 建説　c. 建設) 中だ。

3. 都市の地下には、水道やガスの (a. 大い　b. 太い　c. 犬い) パイプが

　通っている。

4. 新幹線の (a. 運転手　b. 運軽手　c. 運輪手) になりたい。

5. あそこを右に (a. 田がって　b. 由がって　c. 曲がって) ください。

6. このコンピューターの使い方は (a. 笑単　b. 簡単　c. 間単) です。

7. 小さい女の子が (a. 忘いて　b. 悲いて　c. 泣いて) いる。

8. すみませんが、田中さんに (a. 伝言　b. 仁言　c. 位言) をお願いします。

183

Ⅳ. 同じ音の漢字 Kanji of the same 'ON' reading
おん

1. い ち　　い み　　い はん　　い しゃ

□置 & □味 & □反 & □者

location　　meaning　　violation　　doctor

2. に かい　　に かい　　かい てん　　かい ひ

二□ & 二□ & □店 & □費

the second floor　　twice　　to open a store　　membership fee

3. かん せい　　かん かく　　じ かん　　かん たん

□成 & □覚 & 時□ & □単

completion　　sense　　time　　simple

4. ほ どう きょう　　べん きょう　　きょう かい

歩道□ & 勉□ & □会

pedestrian bridge　　study　　church

5. ほう こう　　くう こう　　し こう りょく　　がっ こう

方□ & 空□ & 思□力 & 学□

direction　　airport　　thinking ability　　school

6. けん せつ　　せつ めい　　しん せつ　　う せつ

建□ & □明 & 親□ & 右□

construction　　explanation　　kindness　　right turn

ほかにも音読みが同じ漢字はたくさんあります。

この本の終わりに「音訓索引」がありますから、さがしてみましょう。
おんくんさくいん

第41課
だい　か

 ユニット1 ・・・・・・・・・・・・・・・・・・・・・・・・・・・・・・・・・ 漢字の話

漢語 -2- （Kanji Compounds -2-） ・・・・・・・・・・・・・・・・・・・・・・

漢字を組み合わせていろいろなことばを作ることができます。

老人（ろうじん）old man
老化（ろうか）aging
老後（ろうご）one's old age

ふたつの漢字の意味からa. b. のことばの意味を考えて、c. の中に適当な
漢字を入れてことばを作りなさい。

1.

3.

2.

4.

ユニット2 ・・・・・・・・・・・・・・・・・・・・・・・・・・・・ 第 41 課の基本漢字

2-1 漢字の書き方 ・・

漢字	意味	くんよみ	オンヨミ	（画数）

451

老　old

くんよみ：お-いる
オンヨミ：ロウ　（6）

一　十　土　少　考　老

老（お）いる to get old　　敬老（けい・ろう）の日（ひ）Respect for the Elderly Day
老人（ろう・じん）old man　　老化（ろう・か）する to age

452

族　family

オンヨミ：ゾク　（11）

丶　亠　方　方　方　扩　扩　族　族　族

家族（か・ぞく）family　　民族学（みん・ぞく・がく）ethnology
民族（みん・ぞく）people, ethnic group　　水族館（すい・ぞく・かん）aquarium

453

配　supply deliver

くんよみ：くば-る
オンヨミ：ハイ／-パイ　（10）

一　厂　厅　万　西　西　酉　酉　酉　配

配（くば）る to distribute, to hand out　　心配（しん・ぱい）する to worry
配達（はい・たつ）する to deliver　　分配（ぶん・ぱい）する to distribute, to share

漢字	意味	くんよみ	オンヨミ	（画数）

454 術　technique art　ジュツ　(11)

ノ　ク　彳　行　彳　彳　彳　彳　彳　術　術

手術（しゅ・じゅつ）operation　　技術（ぎ・じゅつ）technique, skill

美術（び・じゅつ）fine arts　　芸術家（げい・じゅつ・か）artist

455 退　retreat　しりぞ-く　タイ　(9)

コ　ヨ　ヨ　尸　尸　艮　艮　退　退

退（しりぞ）く to retreat　　退社（たい・しゃ）する to leave the office, to resign

退学（たい・がく）する to drop out of school　　退院（たい・いん）する to leave the hospital

456 効　effect　き-く　コウ　(8)

ノ　亠　六　六　交　交　効　効

効（き）く to work on, to be effective　　有効（ゆう・こう）validity

効果（こう・か）effect　　無効（む・こう）invalidity

457 民　people folk　ミン　(5)

フ　コ　尸　尸　民

国民（こく・みん）the people, the nation　　難民（なん・みん）refugee

市民（し・みん）citizen　　民主主義（みん・しゅ・しゅ・ぎ）democracy

漢字	意味	くんよみ	オンヨミ	（画数）

458 訪 visit
たず-ねる
おとず-れる
ホウ
（11）

` 亠 冫 亖 言 言 言 言 訁 訪 訪

訪(たず)ねる to call on, to visit　　訪問(ほう・もん)する to visit
訪(おとず)れる to visit　　訪米(ほう・べい)する to visit the U.S.A.

459 顔 face
かお
ガン
（18）

亠 亠 产 立 产 产 彦 彦 彦 顔 顔
顔 顔 顔 顔

顔(かお) face　　洗顔(せん・がん)する to wash one's face
顔色(かお・いろ) complexion, color　　顔面(がん・めん) face

460 歯 tooth
は
シ
（12）

丨 止 此 步 步 步 步 歩 歩 歯 歯

歯(は) tooth　　歯科医(し・か・い) dentist
歯(は)ブラシ toothbrush　　歯車(は・ぐるま) gear

2-2 読み練習

Ⅰ．次の漢字の読み方をひらがなで書きなさい。

1. 老人　　2. 家族　　3. 国民　　4. 顔　　5. 歯

6. 心配する ↔ 安心する　　7. 退院する ↔ 入院する

8. 手術　　　9. 効果　　　10. 有効　↔　無効　　　11. 訪ねる

Ⅱ. 次の文を読んでみましょう。

1. 彼女は顔色が悪いから、家族がみんな心配している。

2. 父は病院で手術を受けて、先週退院した。

3. 老人ホームにいる老いた母を訪ねる。

4. 横田先生の専門は民族学で、よくアジアの国々を訪問する。
　　　　　　せん

5. 来週の土曜日から市民ホールで美術展が開かれる。
　　　　　　　　　　　　　　　　　てん

6. この薬は頭痛に効くと書いてあるが、飲んでも効果がない。

7. 駅前で若い男がティッシュを配っている。

8. ひさしぶりに先生のお宅を訪ね、お元気そうな顔を見て、

　　安心しました。

2-3　書き練習

Ⅰ. 次の□に適当な漢字を書きなさい。

1. to wash one's face

□を□う
かお　あら

2. to have a toothache

□が□い
は　　いた

3. to call on

□ねる
たず

4. to worry about an operation

□□ の □□ をする
しゅ じゅつ　　しん ぱい

5. to drop out of school

□□ する
たい がく

6. effect

□□
こう か

7. old man

□□
ろう じん

8. family

□□
か ぞく

9. citizen

□□
し みん

Ⅱ. ことばの意味を考えて、適当な漢字を書いてみましょう。

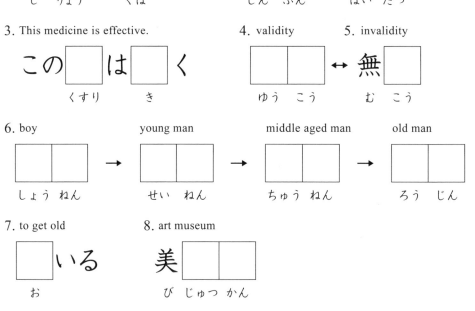

1. to hand out the data

□□ を □ る
し りょう　　くば

2. to deliver the newspaper

□□ を □ 達する
しん ぶん　　はい たつ

3. This medicine is effective.

この □ は □ く
くすり　　き

4. validity

□□
ゆう こう

5. invalidity

↔ 無 □
む こう

6. boy

□□ →
しょう ねん

young man

□□ →
せい ねん

middle aged man

□□ →
ちゅう ねん

old man

□□
ろう じん

7. to get old

□ いる
お

8. art museum

美 □□
び じゅつ かん

9. Spring is close at hand.

□ の □ れは □ い
はる　　おとず　　ちか

10. to visit my someone's home

お □ を □□ する
たく　　ほう もん

11. resident

じゅう　みん

12. multi-ethnic

た　みん　ぞく

Ⅲ. 次の文を習った漢字を使って書きましょう。

1. あさ、かおをあらって、はをみがく。

2. にんげんのろうかは、20だいからはじまっているといわれる。

3. このくには、たみんぞくこっかである。　multi-ethnic nation

4.「とうきょうへきたら、かおをみせてください」といわれたので、

　 ひさしぶりにせんせいのおたくをたずねた。

5. びょういんでしゅじゅつをうけて、たいいんするまであと3しゅうかん

　 ぐらいかかる。

6. このパスポートはらいねんの3がつまでゆうこうです。

ユニット3 ‥‥‥‥‥‥‥‥‥‥‥‥‥‥‥‥‥‥ 読み物

＜おばあさんと女の子＞

　おばあさんが町でころんで、足にけがをしました。近くにいた人が電話で救急車を呼びました。すぐ病院から家族に連絡がありました。家族はとても心配して、急いで病院へ行きました。

　医者は家族に説明しました。「今日、簡単な手術をします。手術後三週間は歩けません。それからリハビリをします。まだ外は寒いですから、病院でゆっくりリハビリして、三月ごろ退院したらいかがですか。」「リハビリは老人にも効果があるんですか。」奥さんが聞きました。「そうですね。老人といってもまだ六十五歳ですから、少しずつやれば、一か月ぐらいで元気になりますよ。時々訪ねてあげてください。」

　医者は、小さい女の子に「きみもお花を持って、おばあちゃんの顔を見に来てね」と言って、白い歯を見せて笑いました。

　次の週、女の子は両親と見舞いに行きました。病院へ行く前に、近くの花屋によりました。「そのピンクのバラはいくらですか。」「これは一本五百円です。今は寒いからね。春になると、安くなるんですけど。」女の子はしばらく考えてから言いました。「じゃあ、一本ください。」

　女の子はピンクのバラを一本持って、おばあさんに会いに行きました。おばあさんはとても喜びました。「退院したら、いっしょに花畑へ行こうね」とおばあさんはにっこり笑いました。

＊救急車 ambulance　　　リハビリ＝リハビリテーション　rehabilitation　　　～歳 ~ years old
　見舞いに行く to visit a sick person　　　～による to drop in (to a place)　　　バラ rose
　にっこり笑う to smile cheerfully

［質問］

1. おばあさんはどうして入院しましたか。

2. 手術の後どのくらいしたら、歩いてもいいですか。

3. リハビリは何週間ぐらいですか。

4. どうして女の子は花を一本だけ持っていったと思いますか。

知っていますか できますか

＜電気器具の表示 (Using Appliances)＞
ひょうじ

1. エアコン　air conditioner

切　Off

入　On

設定温度　Set (Room) Temperature
せっていおんど

風速　Fan Speed
ふうそく

自動　Automatic
じどう

強　High
きょう

弱　Medium
じゃく

微　Low
び

暖房　Heat
だんぼう

除湿　Dehumidify
じょしつ

冷房　Cool
れいぼう

停止　Stop
ていし

室温　Room Temperature
しつおん

風向　Fan Direction
ふうこう

2. コインランドリー laundromat, coin laundry

洗濯乾燥機 washer-dryer
せんたくかんそうき
全自動 fully automatic
ぜん じ どう

［洗濯の前に］
せんたく
　　ドラム洗浄 self-clean (sterilizes interior of machine)
　　　せんじょう
　　無料：２分間 no charge, 2 minutes
　　む りょう

［①洗濯物 (laundry) を入れます］
　せんたくもの
　　洗剤・ソフト剤 detergent and fabric softener
　　せんざい　　　ざい
　　自動投入 released automatically (according to cycle)
　　　とうにゅう

［②コース選択ボタン (cycle selection button) を押します］
　　　　　せんたく
　　運転コース wash cycle　　運転時間 length of cycle　　利用料金 charge

　　標準 standard cycle　　少量 small load
　　ひょうじゅん　　　　　しょうりょう
　　17キロまで洗濯のみ wash only (up to 17 kg)
　　　　　　　せんたく
　　10キロまで乾燥のみ dry only (up to 10 kg)
　　　　　　　かんそう
　　ソフト剤なし no fabric softener
　　　　　ざい

［③硬貨 (coins) またはカードを入れます］
　　こう か
　　営業中 in use　　投入金額 charge inserted
　　　　　　　　　きんがく
　　カード挿入口 (返却口) card slot (return)
　　　そうにゅうぐち　へんきゃくぐち

第 42 課
だい か

大学のカリキュラム（University Curriculums）‧‧‧‧‧‧‧‧‧‧‧‧‧‧‧‧‧‧‧‧‧

一般科目（いっぱんかもく）general subjects

専門科目（せんもんかもく）major subjects

　　選択科目（せんたくかもく）elective subjects

　　必修科目（ひっしゅうかもく）required subjects

　　実験（じっけん）experiments

　　野外調査（やがいちょうさ）field work

卒業論文（そつぎょうろんぶん）graduation thesis

教育実習（きょういくじっしゅう）student teaching

卒業（そつぎょう）graduation

必要（ひつよう）necessary, required

単位（たんい）credit

ユニット2 ·························· 第42課の基本漢字

2-1 漢字の書き方

漢字	意味	くんよみ	オンヨミ	（画数）

461 卒　graduate　　　　　　　　　　　ソツ　（8）

丶 一 宀 六 立 卒 卒 卒

卒業(そつ・ぎょう)する to graduate　　　大卒(だい・そつ) university graduate
卒業生(そつ・ぎょう・せい) graduate

462 論　discuss / theory　　　　　　　ロン　（15）

丶 二 宀 言 言 言 言 訁 訡 論 論 論 論 論
論

論文(ろん・ぶん) thesis, paper　　　理論(り・ろん) theory
議論(ぎ・ろん)する to discuss　　　論理(ろん・り) logic

463 実　real / fruit　　み / みの-る　　ジツ　（8）

丶 ハ 宀 宀 宀 宇 実 実

実(みの)る to bear fruit　　　実験(じっ・けん)する to experiment
事実(じ・じつ) fact　　　実用的(じつ・よう・てき)な practical

漢字	意味	くんよみ	オンヨミ	（画数）

464 調 research / tone　しら-べる　チョウ　(15)

` ー ニ 亖 亖 言 言 訂 訓 訶 訶 調 調
調

調(しら)べる to check, to examine　調子(ちょう・し) condition, tone
調査(ちょう・さ)する to investigate　調和(ちょう・わ) harmony

465 必 necessary　かなら-ず　ヒツ　(5)

` ソ 必 必 必

必(かなら)ず certainly, without fail　必要(ひつ・よう)な necessary
必修科目(ひっ・しゅう・か・もく) required subjects

466 要 require / summarize　い-る　ヨウ　(9)

一 冂 亓 西 西 西 要 要 要

要(い)る to need　重要(じゅう・よう)な important
要求(よう・きゅう)する to demand　要点(よう・てん) the main point

467 類 kind　ルイ　(18)

` ヽ 亠 半 半 米 米 类 类 粁 粁 類 類
類 類 類 類

書類(しょ・るい) papers, documents　親類(しん・るい) relative
分類(ぶん・るい)する to classify　類義語(るい・ぎ・ご) synonym

197

漢字	意味	くんよみ	オンヨミ	（画数）

468 得　gain acquire　え-る　トク　（11）

ノ ク イ 彳 彳 彳 彳 得 得 得 得

得(え)る　to get, to gain, to acquire　　所得(しょ・とく)　income

得意(とく・い)な　to be good at, proud　　説得(せっ・とく)する　to persuade

469 失　lose　うしな-う　シツ／シッ-　（5）

ノ ー 二 牛 失

失(うしな)う　to lose　　失業(しつ・ぎょう)する　to lose one's job

失礼(しつ・れい)な　impolite, rude　　失敗(しっ・ぱい)する　to fail

470 礼　thanks etiquette bow　　レイ　（5）

丶 ラ ネ ネ 礼

礼(れい)　thanks, etiquette, bow　　お礼(れい)　thanks, reward

礼服(れい・ふく)　formal wear　　無礼(ぶ・れい)な　rude

2-2 読み練習

Ⅰ. 次の漢字の読み方をひらがなで書きなさい。

1. 卒業する　　2. 実験する　　3. 失礼する　　4. 論文

5. 書類　　6. 必要な　　7. 得意な　　8. 調べる

9. 必ず　　10. お礼

Ⅱ. 次の文を読んでみましょう。

1. コンピュータの調子が悪いので、調べてみてください。

2. 事実は小説よりもおもしろい。

3. 日本の大学では卒業する前に卒業論文を書く。

4. 試験を受けるのに必要な書類がたくさんある。

5. 都会に住む若い人たちは失業して所得がないので、

　アルバイトで生活している。

6. 部屋に入るときも出るときも「失礼します」と言う。

7. 重要な点は後から必ずお知らせします。

8. 実験の結果を論文にまとめる。

2-3 書き練習 ∙∙

Ⅰ．次の□に適当な漢字を書きなさい。

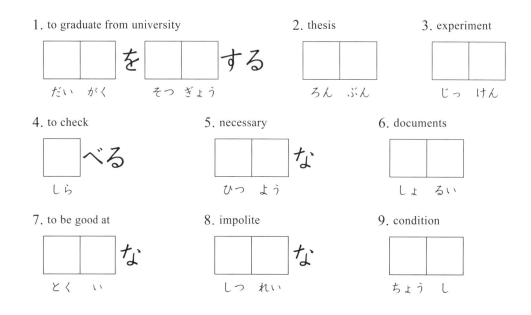

1. to graduate from university
□□ を □□ する
だい がく　　そつ ぎょう

2. thesis
□□
ろん ぶん

3. experiment
□□
じっ けん

4. to check
□ べる
しら

5. necessary
□□ な
ひつ よう

6. documents
□□
しょ るい

7. to be good at
□□ な
とく い

8. impolite
□□ な
しつ れい

9. condition
□□
ちょう し

Ⅱ．ことばの意味を考えて、適当な漢字を書いてみましょう。

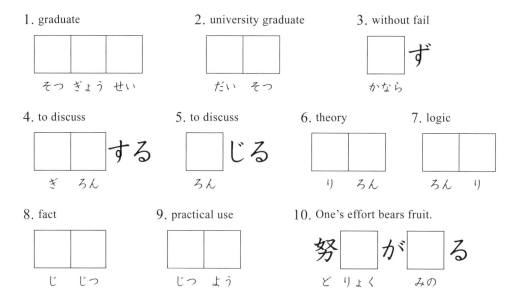

1. graduate
□□□
そつ ぎょう せい

2. university graduate
□□
だい そつ

3. without fail
□ ず
かなら

4. to discuss
□□ する
ぎ ろん

5. to discuss
□ じる
ろん

6. theory
□□
り ろん

7. logic
□□
ろん り

8. fact
□□
じ じつ

9. practical use
□□
じつ よう

10. One's effort bears fruit.
努 □ が □ る
ど りょく　　みの

11. to say a word of thanks

を　　　う
れい　　　い

12. to investigate

査する
ちょう　さ

13. important

な
じゅう　よう

14. to demand

する
よう　きゅう

15. the main point

よう　てん

16. to gain

る
え

17. income

しょ　とく

18. to lose one's job

する
しつ　ぎょう

19. to fail

敗する
しっ　ぱい

Ⅲ. 次の文を習った漢字を使って書きましょう。

1. このろんぶんのようてんをまとめなさい。

2. そのじっけんは、かならずよいけっかがえられるでしょう。

3. わたしのいちねんかんのしょとくは、やく500まんえんです。

4. このへやのかぐは、ちょうわがとれていない。

5. とうきょうをあんないしてもらったおれいに、ゆうはんをごちそうした。

ユニット３ ・・・・・・・・・・・・・・・・・・・・・・・・・・・・・・・・・・・・ 読み物

＜お願いの手紙＞

拝啓

木々の若葉が美しい季節になりました。先生はお元気でいらっしゃいますか。

おかげさまで、この3月に無事大学を卒業することができました。在学中には、たいへんお世話になりました。あらためてお礼を申し上げます。

さて、先生には何度かご相談しましたが、在学中より考えていた米国留学が、何とか実現できそうです。今、アルバイトのかたわら、ミシガン大学大学院の言語学部への申込書を準備しています。書類はだいたい整い、今、研究計画書を書いているところです。

申し込みには推薦者の評価が必要なのですが、先生に推薦者をお願いできますでしょうか。評価は、申し込んだ大学から

送られてくるアドレスに、先生の教育歴などとともに、推薦する学生の大学院での適性を評価して、入力するものです。

書類の書き込みは、20分ほどでできる簡単なものです。お引き受け願えれば、先生のお名前とメールアドレスを申込書に書かせていただきます。締め切りの期日が迫っておりますので、まことに勝手ではございますが、4月末までにお返事をいただけるとありがたく思います。どうぞよろしくお願いいたします。

敬具

二〇十五年四月二十三日

平野礼子

原一夫先生

＊手紙の書式については第25課を見ること。（ふうとうの書き方は第20課）

＊若葉（わかば） young leaves	季節（きせつ） season
おかげさまで thanks to you	無事（ぶじ） safely, smoothly, without incident
在学中（ざいがくちゅう） during college	お世話になる（せわ） to receive assistance or support
あらためて again	お礼を申し上げる（れい もう あ） to say a word of thanks
実現する（じつげん） to fulfill, to realize	かたわら on the side, in one's spare time
申込書（もうしこみしょ） application form	整う（ととの） to be ready, to be prepared
推薦者（すいせんしゃ） recommender	評価（ひょうか） evaluation
教育歴（きょういくれき） teaching experience	適性（てきせい） aptitude
書き込み（か こ） filling (in)	引き受ける（ひ う） to take on (a request or task)
締め切り（し き） deadline	期日（きじつ） date
迫る（せま） to approach	勝手（かって） to be selfish

（書いてみよう） 上の手紙のようにお願いの手紙を書いてみましょう。

＜履歴書 (Japanese Résumé) の書き方＞
りれきしょ

1. 黒インキまたはボールペンを使用すること。

2. 本籍（国籍）one's legal address, nationality
ほんせき
　　東京、北海道、京都などと記入すること。外国の国籍を有する場合には、
　　　　　　　　　　　　　　　　　　　　　　　　　　　　ゆう
　　その国名を記入すること。

3. 学歴 higher education 　　高校卒業以上を記入すること。

（例）

学歴（高校卒以上）	平成 18 年 4 月	○○高校　　入学
	平成 21 年 3 月	○○高校　　卒業
	平成 21 年 4 月	○○大学○○学部○○学会　　入学
	平成 25 年 3 月	○○大学○○学部○○学会　　卒業
	平成 25 年 4 月	○○大学大学院○○研究科○○課程○○専攻　　入学
	平成 27 年 3 月	○○大学大学院○○研究科○○課程○○専攻　　卒業

4. 学位 academic degree

（例）

学位	平成 27 年 3 月 20 日	○○修士／○○博士 ○○大学

5. 職歴 employment
しょくれき
　　会社名、大学名、研究所名と職名などを記入すること。

6. その他業績 other work
ぎょうせき
　　本人の専門、研究分野に関連した論文、受賞などの主なもの。
　　　　せんもん　　　　　　　　　　　　　　　　　　　じゅしょう

履 歴 書

（　　年　　月　　日現在）

ふりがな 氏　名					（男・女）	本籍（国籍）
西暦 　　年　　月　　日生 　　（　　オ）					現住所 　　　　　　　電話（　　　）　　－	

学 歴 高校卒以上	年　月卒業	○○高校
	年　月入学 年　月卒業	○○大学○○学部○○学科
	年　月入学 年　月修了	○○大学大学院○○研究科○○課程○○専攻
	年　月入学 年　月修了	
学位	年　月　日	○○修士／○○博士　○○大学

	年　月　日	職　歴
〜	年　月　日 年　月　日	
〜	年　月　日 年　月　日	

年　月	その他業績

第 43 課
だい か

変化を表す漢字 （Verbs for Change）
あらわ

　第21課で「-する動詞」を勉強しました。次のことばは変化を表す「-する動詞」です。

増加： ぞうか	増える ふ to increase	＋	加える くわ to add	＝ 増加する to increase
減少： げんしょう	減る へ to decrease	＋	少なくなる to become few	＝ 減少する to decrease
変化： へんか	変わる か to change	＋	化ける ば to disguise	＝ 変化する to change

飛行機を利用する人の割合（人口100人あたり）
*国内線と国際線の定期輸送の合計

（国土交通省しらべ）

（『日本のすがた2014』矢野恒太記念会，2014）

横浜の気温と降水量（月平均）
（1981年～2010年の平均値）

（気象庁「平年値（年・月ごとの値）」をもとに作成）

移動： いどう	移る うつ to transfer	＋	動く to move	＝ 移動する to move
連続： れんぞく	連なる つら to line up	＋	続く つづ to continue	＝ 連続する to continue
進歩： しんぽ	進む すす to move forward	＋	歩く to walk	＝ 進歩する to progress

ユニット2 ‥‥‥‥‥‥‥‥‥‥‥‥‥‥‥ 第43課の基本漢字

2-1 漢字の書き方 ‥‥‥‥‥‥‥‥‥‥‥‥‥‥‥‥‥‥‥‥‥‥‥‥‥‥

漢字	意味	くんよみ	オンヨミ	（画数）

471

増 — increase / add

くんよみ: ふ-える　ま-す　ふ-やす
オンヨミ: ゾウ　（14）

書き順: 一　十　ナ　ナ゛　ナ゛　ナ゛　垆　垳　増　増　増　増　増

増（ふ）える　to increase　　　増（ま）す　to gain, to increase

増（ふ）やす　to add, to increase　　　増加（ぞう・か）する　to increase

472

加 — add

くんよみ: くわ-わる　くわ-える
オンヨミ: カ　（5）

書き順: フ　カ　加　加　加

加（くわ）わる　to join　　　参加（さん・か）する　to participate

加（くわ）える　to add　　　加工（か・こう）する　to process

473

減 — decrease

くんよみ: へ-る　へ-らす
オンヨミ: ゲン　（12）

書き順: 丶　氵　氵　氵　汇　汇　沍　沍　減　減　減

減（へ）る　to decrease　　　減少（げん・しょう）する　to decrease

減（へ）らす　to reduce, to decrease　　　半減（はん・げん）する　to be reduced by half

| 漢字 | 意味 | くんよみ | オンヨミ | （画数） |

474 変 change / strange — か-わる、か-える — ヘン （9）

` ノ 一 ナ 方 亦 亦 変 変 `

変(か)わる to change 　 変化(へん・か)する to change, to vary
変(か)える to change 　 大変(たい・へん) very, much

475 移 move — うつ-る、うつ-す — イ （11）

` ノ 二 千 千 禾 禾 秒 移 移 移 移 `

移(うつ)る to move, to transfer 　 移動(い・どう)する to move
移(うつ)す to move 　 移民(い・みん) immigrant, emigrant

476 続 continue — つづ-く、つづ-ける — ゾク （13）

` く 幺 幺 糸 糸 糸 約 紵 結 絞 続 続 続 `

続(つづ)く to continue 　 連続(れん・ぞく)する to continue
続(つづ)ける to continue 　 相続(そう・ぞく)する to inherit

477 過 pass / exceed — す-ぎる、す-ごす — カ （12）

` ノ 口 口 口 冎 冎 咼 咼 咼 渦 過 過 `

過(す)ぎる to pass, to exceed 　 通過(つう・か)する to pass
過(す)ごす to spend (time) 　 過去(か・こ) the past

207

漢字	意味	くんよみ	オンヨミ	（画数）

478 進　advance　すす-む / すす-める　シン　（11）

ノ　イ　イ　仁　什　什　隹　隹　准　進　進

進(すす)む to move forward, to advance　　進歩(しん・ぽ)する to progress

進(すす)める to go ahead, to promote　　先進国(せん・しん・こく) advanced country

479 以　from, than　イ　（5）

ｌ　レ　レ　以　以

以上(い・じょう) more than　　以前(い・ぜん) before (a given point), previously

以下(い・か) less than　　以降(い・こう) after (a given point)

480 美　beauty　うつく-しい　ビ　（9）

丶　丷　丷　干　羊　羊　羊　美

美(うつく)しい beautiful　　美容院(び・よう・いん) beauty parlor

美人(び・じん) beautiful woman　　美術(び・じゅつ) fine arts

2-2 読み練習 ‧‧

Ⅰ．次の漢字の読み方をひらがなで書きなさい。

1. 増える　　　2. 減る　　　3. 増加する　　　4. 加える

5. 変化する　　　6. 移る　　　7. 続く　　　8. 変わる　　　9. 過ぎる

10. 進む　　　11. 以上　　　12. 以下　　　13. 美しい

Ⅱ．次の文を読んでみましょう。

1. 1950年以降、子どもの数が減少し、老人の人口が増加している。

2. この川の流れの変化は、過去50年間なかった。

3. 医学の進歩によって多くの病気が治せるようになった。

4. インターネットでカット代が5000円以下の美容院をさがす。

5. 加える水を増やしたり減らしたりして、実験を続けた。

6. 今3時5分過ぎです。あの時計は少し進んでいます。

7. 空港のロビーで大変美しい山の写真を見た。

8.「女心と秋の空」というのは、変わりやすいという意味だ。

2-3 書き練習 ∙∙

Ⅰ．次の□に適当な漢字を書きなさい。

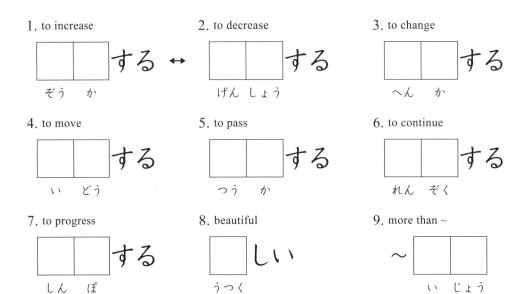

1. to increase
□□する ↔
ぞう　か

2. to decrease
□□する
げん　しょう

3. to change
□□する
へん　か

4. to move
□□する
い　どう

5. to pass
□□する
つう　か

6. to continue
□□する
れん　ぞく

7. to progress
□□する
しん　ぽ

8. beautiful
□しい
うつく

9. more than ~
~□□
い　じょう

Ⅱ．ことばの意味を考えて、適当な漢字を書いてみましょう。

1. The number of cars increases.

□の□が□える
くるま　かず　ふ

2. to increase (one's number of) friends

□だちを□やす
とも　　　　ふ

3. A new member joins the club.

□□□がクラブに□わる
しん　かい　いん　　　　くわ

4. to add salt

塩を□える
しお　くわ

5. to join the United Nations

□□に□□する
こく　れん　か　にゅう

6. to go ahead with a plan

☐☐を☐める
けい かく　　すす

7. to move forward

☐に☐む
まえ　 すす

8. the past

☐去
か こ

9. Winter passed.

☐が☐ぎた
ふゆ　 す

10. very

☐☐な
たい へん

11. to change a schedule

☐☐を☐える
よ てい　 か

12. to move to Tokyo

☐☐へ☐る
とう きょう　 うつ

13. to migrate

☐☐に☐☐する
かい がい　 い じゅう

Ⅲ. 次の文を習った漢字を使って書きましょう。

1. がいこくじんりょこうしゃのかずがねんねんふえている。

2. 1945 ねんいこう、にほんじんのかんがえかたやせいかつは、おおきく

へんかした。

3. 5 ねんれんぞくして、むらのじんこうがげんしょうしている。

4. まいとしすずしいこうげんでなつをすごす。

5. とうきょうへうつってから、ずっといそがしいひがつづいている。

ユニット3 ・・・・・・・・・・・・・・・・・・・・・・・・・・・・・・・・・・ 読み物

＜日本人の食生活＞

　日本人の食生活は、この50年で大きく変化した。右の表は、日本人一人が一日に食べている食品の量（g）をくらべたものである。

　まずカロリーは、1960年からの20年間で270キロカロリー増えたが、2010年ではまた減っている。同じように1980年には増えて2010年には減った食品は、野菜と魚である。

表1　日本人の1日あたりの食品量の変化(g)

	1960年	1980年	2010年
カロリー (kcal)	2,291	2,562	2,436
米	315	216	163
小麦	71	88	90
いも	101	79	97
野菜	273	309	242
果物	61	106	100
肉	14	62	80
たまご	17	39	45
牛乳 etc.	61	179	237
魚	76	95	81
さとう	41	64	52
油	12	34	37

（農林水産省「平成22年度食料需給表」より）

　1960年とくらべて、1980年に大きく増えた食品は、肉、たまご、牛乳、油である。これはそれまであまり多く食べられなかったハンバーグやケーキ、アイスクリームのような外国風の食べ物が、子どもや若い人たちの食生活に取り入れられたからである。

　また1960年から2010年で大きく減ったのは主食の米である。1960年には、一日一人が315g食べていたが、2010年には163gと約半分に減っている。その代わりにパンやスパゲティの材料である小麦は少しずつ増えている。

　これらが意味するものは、米や魚や野菜を使った和食が減り、小麦や肉やたまごを使った洋食が多くなっているということである。日本人の体が大きくなったのは、この50年間の食生活の変化によると思われる。

＊食生活　diet　　　　　表　chart　　　　　量　amount　　　　　野菜　vegetables
　牛乳　milk　　　　　～風　~style　　　　取り入れる　to introduce　　主食　staple food
　代わりに　instead　　材料　ingredients　　小麦　wheat　　　　　　　～による　due to~

［質問］

　1. 1960年ごろの日本人の食生活はどんな材料が多かったですか。

　2. 2010年の食生活はどの部分が大きく変化しましたか。

書いてみよう　あなたの国の食生活はどのように変わったか、説明してみましょう。

知っていますか できますか

＜日本の歴史年表 (Periods of Japanese History)＞
ねんぴょう

西暦	時　代	
B.C. 500	原 始	先土器 ・縄文
A.D 1		弥　生
100		
200		
300		古　墳
400		
500	古 代	
600		
700		奈　良
800		
900		平　安
1000		
1100		
1200		

西暦（せいれき）　　C.E.

時代（じだい）　　period, era

＜時代区分＞　　Historical Periods

原始（げんし）　　prehistory

古代（こだい）　　the ancient period

中世（ちゅうせい）　the medieval period

近世（きんせい）　　the early modern period

近代（きんだい）　　the modern period

現代（げんだい）　　the contemporary period, the present day

＜日本の時代区分＞

先土器（せんどき）　pre-earthenware era

縄文（じょうもん）　Jomon ware (straw-rope pattern pottery) period

弥生（やよい）　　Yayoi ware period

古墳（こふん）　　ancient tomb burial mound / tumulus period

奈良（なら）　　Nara (place name) period

平安（へいあん）　Heian (= Kyoto) period

鎌倉（かまくら）　Kamakura (place name) period

室町(むろまち)　　Muromachi (in Kyoto) period

南北朝(なんぼくちょう)

　　　　　　　　Period of the Northern and Southern Courts

戦国(せんごく)　　the Warring States period

安土桃山(あづちももやま)

　　　　　　　　Azuchi-Momoyama (place name) period

江戸(えど)　　　　Edo (= Tokyo) period

明治(めいじ)　　　Meiji period
　　　　　　　　(1868-1912)

大正(たいしょう)　Taisho period
　　　　　　　　(1912-1926)

昭和(しょうわ)　　Showa period
　　　　　　　　(1926-1989)

平成(へいせい)　　Heisei period
　　　　　　　　(1989-　　)

（※歴史区分についてはいろいろな説があります）

書いてみよう　日本の年表の右にあなたの国の歴史の時代区分を書いてみましょう。

第44課
だい　　か

ユニット1 ・・・・・・・・・・・・・・・・・・・・・・・・・・・・・ 漢字の話

☀ 抽象概念を表す表現 （Expressing Abstract Ideas） ・・・・・・・・・・・・・・
ちゅうしょうがいねん　　あらわ　ひょうげん

ＡとＢを比較する
ひ　かく
to compare A with B

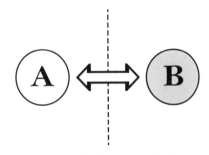

ＡとＢを対比する
たい　ひ
to contrast A with B

Ｃに賛成する
さんせい
to agree with C

Ｃに反対する
はんたい
to oppose C

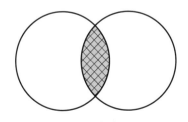

共通点
きょうつうてん
points of commonality

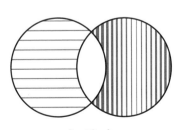

相違点
そう　い　てん
points of difference

ユニット2　‥‥‥‥‥‥‥‥‥‥‥‥‥‥‥‥　第44課の基本漢字

2-1　漢字の書き方

漢字	意味	くんよみ	オンヨミ	（画数）

481

比　compare ratio　くら-べる　ヒ　（4）

一　ヒ　比　比

比（くら）べる to compare　　比重（ひ・じゅう）specific gravity, importance
対比（たい・ひ）する to contrast　　比例（ひ・れい）する to be proportional

482

較　compare　カク　（13）

一　厂　亘　亘　亘　車　車　軒　軒　軒　較　較

比較（ひ・かく）する to compare
比較的（ひ・かく・てき）comparatively

483

反　opposite anti-　ハン　（4）

一　厂　厈　反

反応（はん・のう）reaction　　反映（はん・えい）する to reflect
違反（い・はん）violation　　反（はん）〜 anti〜

漢字	意味	くんよみ	オンヨミ	(画数)

484 対 — against / pair

オンヨミ: タイ / ツイ　(7)

`ﾉ` `ﾅ` `ｽ` `ｽﾞ` `ｽﾞ` `対` `対`

〜に対(たい)して　against ~, regarding ~　　２対(たい)３　2 against 3
反対(はん・たい)する　to oppose　　一対(いっ・つい)　a pair

485 賛 — approve

オンヨミ: サン　(15)

`一` `二` `ﾅﾞ` `ﾀﾞ` `ﾀﾞ` `ﾀﾞ` `ﾀﾞ` `扶` `扶` `梼` `梼` `替` `替` `替`
`賛`

賛成(さん・せい)する　to agree, to approve　　賛同(さん・どう)する　to approve
賛否(さん・ぴ)　approval and disapproval

486 共 — both / together

くんよみ: (とも)　オンヨミ: キョウ　(6)

`一` `十` `廿` `井` `共` `共`

共通(きょう・つう)の　common　　共同(きょう・どう)　cooperation
共和国(きょう・わ・こく)　republic　　公共(こう・きょう)　public, common

487 直 — direct, repair / straight

くんよみ: なお-る / なお-す　オンヨミ: チョク　(8)

`一` `十` `十` `直` `直` `直` `直` `直`

直(なお)す　to repair, to correct　　直後(ちょく・ご)　immediately after
直流(ちょく・りゅう)　direct current　　直接(ちょく・せつ)　direct

漢字	意味	くんよみ	オンヨミ	（画数）

488

表　surface / appear, table

あらわ-す　ヒョウ　（8）

一 十 キ 主 丰 表 表 表

表（あらわ）す　to express

発表（はっ・ぴょう）する　to announce

表現（ひょう・げん）　expression

表面（ひょう・めん）　surface

489

現　appear / present

あらわ-れる（あらわ-す）　ゲン　（11）

一 T F 王 玕 玥 玥 玥 玥 現 現

現（あらわ）れる　to appear

現代（げん・だい）　the contemporary period, the present day

現金（げん・きん）　cash

現在（げん・ざい）　now, the present

490

初　begin / first

はじ-め　はつ　ショ
はじ-めて　（7）

` ラ ネ ネ ネ 初 初

初（はじ）めて　for the first time

初雪（はつ・ゆき）　the first snow of the year

最初（さい・しょ）の　first

初歩（しょ・ほ）　the basics

2-2 読み練習

Ⅰ．次の漢字の読み方をひらがなで書きなさい。

1. 比べる　　2. 反対する　　3. 賛成する　　4. 直す　　5. 表す

6. 現れる　　7. 比較する　　8. 対比する　　9. 表現する

10. 初めて　　11. 共通する　　12. 発表する　　13. 直接

Ⅱ．次の文を読んでみましょう。

1. 両者には共通点と相違点がある。

2. IC カードは、現金より便利だ。

3. 最初に、カードを入れます。次に、ボタンを押します。
　　さい

4. 現代日本の教育制度についての論文を発表します。
　　　　　　　　　せい

5. 先週、スピード違反でつかまった。

6. この二つの国は農業開発という共通の問題を持っています。

7. 彼の専門は、日本とアメリカの比較文化です。

8. 賛成意見と反対意見が半分ずつで、決められなかった。

9. 同じ意味を表すのにいろいろな表現が使われる。

10. 2 対 1 で A チームが勝った。
　　　　　　　　　　　か

2-3 書き練習 ....

Ⅰ. 次の□に適当な漢字を書きなさい。

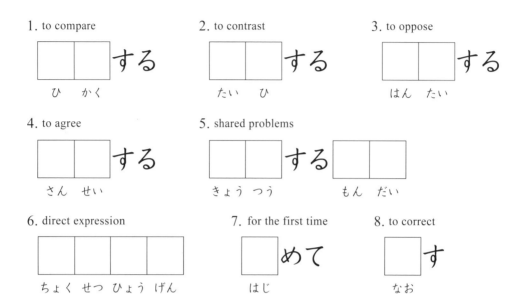

1. to compare
□□する
ひ　かく

2. to contrast
□□する
たい　ひ

3. to oppose
□□する
はん　たい

4. to agree
□□する
さん　せい

5. shared problems
□□する　□□
きょう　つう　　もん　だい

6. direct expression
□□□□
ちょく　せつ　ひょう　げん

7. for the first time
□めて
はじ

8. to correct
□す
なお

Ⅱ. ことばの意味を考えて、適当な漢字を書いてみましょう。

1. first
最□
さい　しょ

2. traffic violation
□□□□
こう　つう　い　はん

3. answer to a question
□□に□する□え
しつ　もん　　たい　　こた

4. personal relations
□□□係
たい　じん　かん　けい

5. republic
□□□
きょう　わ　こく

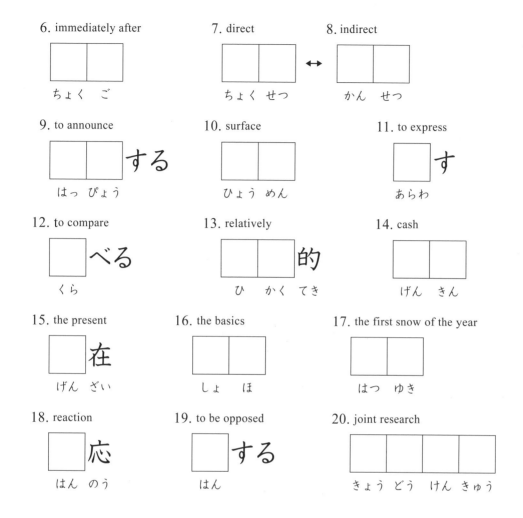

6. immediately after
☐☐
ちょく　ご

7. direct
☐☐ ↔
ちょく　せつ

8. indirect
☐☐
かん　せつ

9. to announce
☐☐する
はっ　ぴょう

10. surface
☐☐
ひょう　めん

11. to express
☐す
あらわ

12. to compare
☐べる
くら

13. relatively
☐☐的
ひ　かく　てき

14. cash
☐☐
げん　きん

15. the present
☐在
げん　ざい

16. the basics
☐☐
しょ　ほ

17. the first snow of the year
☐☐
はつ　ゆき

18. reaction
☐応
はん　のう

19. to be opposed
☐する
はん

20. joint research
☐☐☐☐
きょう　どう　けん　きゅう

Ⅲ. 次の文を習った漢字を使って書きましょう。

1. くすりをのんでも、なかなかこうかがあらわれない。

2. おとうとは、あまりかんじょうをかおにあらわさない。

3. せんせいは、がくせいのしつもんにたいしてひとつひとつていねいに

   こたえてくれる。

4. さくしゃのかんがえかたがどのさくひんにもよくはんえいされている。

5. こどもたちは、いぜんにくらべていえのなかであそぶことがおおくなった。

ユニット3 ・・・・・・・・・・・・・・・・・・・・・・・・・・・・・・ **読み物**

＜スピーチ＞

　私は、インドのアリです。国の大学で経営を勉強して、卒業した後、政府の経済開発研究所で働きました。そして、今年の４月に初めて日本へ来ました。今日は、私の専門について少しお話ししたいと思います。

　私は、日本の会社の経営のシステムを研究したいと思っています。日本は、戦後短期間に経済成長をし、現在では経済先進国になりました。それには、様々な理由が考えられますが、日本の会社のすぐれた経営システムもその一つではないでしょうか。インドは、政治、経済、教育などに英国のシステムを使ってきました。英国のシステムには、もちろん利点もありますが、インドに合わない点もあります。私は、英国と日本の経営システムを比較して、共通点と相違点を検討し、インドに合ったシステムを考えたいと思います。また、本で理論を勉強するだけではなく、日本の会社を訪問して、そこの経営システムについて働いている人たちに直接意見を聞いてみたいと思っています。

＊経営　management	専門　speciality	戦後　after the war
経済成長　economic growth	現在　now	先進国　advanced country
利点　advantage	合う　to fit, to suit	検討する　to examine

［質問］

　1. ５行目の「それ」は、何を指していますか。

　2. ５行目から７行目のアリさんの意見に、あなたは賛成ですか、反対ですか。

　3. アリさんの研究テーマは、何と何の比較ですか。

（書いてみよう）あなたの専門と研究計画について、同じようにスピーチを考えて書いてみましょう。

知っていますか できますか

＜漢和辞典 (Kanji Dictionary) の調べ方＞

　漢字や漢字のことばの読み方や意味を調べるとき、漢和辞典を使います。漢和辞典には、ふつう次の３種類の索引(index)があります。

①音訓索引(reading index)

　漢字の音読みと訓読みを50音順(Japanese alphabetical order)に並べたもので、ふつう漢和辞典の一番終わりにあります。音読みはカタカナ、訓読みはひらがなで書いてあります。

②部首索引(radical index)

　漢字の部首(radicals)を画数の少ない順に並べてあります。調べたい漢字の部首が分かりにくいときのために、部首の形や位置によって調べられる索引がついている辞典もあります。

③総画索引(stroke count index)

　漢字を画数の少ない順に並べたものです。同じ画数の場合は、部首の順になっています。画数が少ない漢字を調べるときは便利ですが、画数が増えると、たくさん漢字があるので、さがすのが大変です。

　漢字の中には、どれが部首か分かりにくいものもあります。右の「部首類形検索表」(Radicals and Similar Shapes Reference List)は、部首を調べやすくするために作られたものです。部首のはじめの画の形によって、グループ分けしてあります。

部首類形検索表 (一部)

一	一 二 言 示 ／ 戸 豆 帚						十	十 艹艹 卅	
	兀 歹 瓦 石 豕 ／ 而 面							黄 革 甘	
	頁 至 ／ 工 耳							土 老 走 赤	
								走 ／ 士 鼓	
王	干 玉玉 鬥 ／ 旡旡旡 牙牙							／ 支 皮 舛	
	雨 襾西 酉							青青 麦 生	
厂	厂 辰 ／ 長長 髟 ／ 馬						寸	寸 ／ 扌	
							木	木 禾 米 釆	
｜	｜ ｜ 刂 爿							麥 耒	
	小 忄 小 ／ 水氺 川 山						大	大 犬 尢	
	蕭 ／ 非 韭 ／ 鬥 門 ／						弋	弋 戈 氏	
	卜 夕 虎 支 齒 ／ 止 歯齒								
冂	冂 阝(右) 阝(左)								

(林大監修（2001）『現代漢語例解辞典』（第二版）小学館)

■やってみよう！

1. はじめの漢字の読み方が分かるとき　→音訓索引

Ex.「初演」：はじめの漢字「初」の読み方（「ショ」または「はじ（め）」）を知っていれば、音訓索引で「初」をさがし、そのページを見る。そこで「初演（しょえん）」を見つけることができる。

（林大監修（2001）『現代漢語例解辞典』（第二版）小学館）

2. はじめの漢字の読み方が分からないとき

2.1　漢字の部首が分かるとき　→部首索引

Ex.「討論」：「討」の部首は「言（ごんべん）」で、画数は7画。表紙のうらにある部首索引で調べると、「言」があるページが分かる。そのページを開けて見ると、「ごんべん」の漢字が画数の少ない順に並んでいる。「討」のところには、「討」を使ったことばのリストがあるので、「討論（とうろん）」をさがす。

2.2　漢字の部首が分からないとき　→総画索引

Ex.「氏名」：「氏」の画数を数えると、4画である。総画索引には、漢字が画数の少ない順に並んでいるので、4画のところを見て「氏」をさがす。「氏」のところには「氏」を使ったことばがあるので、「氏名（しめい）」をさがす。

[練習Ⅰ]　次のことばの読み方を漢和辞典の部首索引で調べなさい。

1. 環境
2. 偶然
3. 招待
4. 統計
5. 著者
6. 逆説

[練習Ⅱ]　次のことばを漢和辞典の総画索引で調べなさい。

1. 世代
2. 永久
3. 光景
4. 死亡
5. 豆腐
6. 首相

［練習Ⅲ］　次のことばを音訓索引で調べなさい。

1. 必要　　　　　　　　　　　4. 作用

2. 比較　　　　　　　　　　　5. 重力

3. 表面　　　　　　　　　　　6. 生命

［練習Ⅳ］　次のことばを適当なところで切って、漢和辞典で読み方と意味を
　　　　　　調べなさい。

1. 処理速度

2. 通信技術理論

3. 経済協力開発部

漢字ノート作り

　漢和辞典で新しい漢字の読み、意味、熟語(compound word)などを調べたら、
自分のノートにまとめておきましょう。熟語については、和英辞典を引きなお
して、その意味、使い方、例文なども書いておくと、便利です。反対の意味の
漢字や関連のある漢字などがあれば、それも書きましょう。

　　例.

記	キ　　記入(きにゅう)する　to fill in 　　　　用紙に名前を記入する。	【キ】起・紀
	記事(きじ)　article 　　　新聞におもしろい記事があった。	
	記者(きしゃ)　reporter 　　　弟は雑誌記者をしている。	
	しる-す　to note, to write 　　　ノートに本の題名を記す。	

第 45 課
だい　か

ユニット1 ･･････････････････････････････････････ 漢字の話

✳ **接辞の漢字 -3-　抽象概念**（Prefixes and Suffixes -3- Abstract Ideas）･･････
せつじ　　　　　ちゅうしょうがいねん

接頭辞： 全 -　＝　全部の～　　全科目　all subjects
せっとうじ　ぜん　　　　ぜん ぶ
　　　　　　　　　　　　all　　　　全学生　all students

　　　　　　　　　　　　　　　　全生産　all production

　　　　　　　　　　　　　　　　全国　全員　全階　全面　全体

　　　　　　　最 -　＝　一番～　　最新　the newest
　　　　　　　さい
　　　　　　　　　　　　the most ～　最高　the highest, the greatest

　　　　　　　　　　　　　　　　最初　the first

　　　　　　　　　　　　　　　　最大　最低　最後　最悪　最良　最近

　　　　　　　第 -　＝　the ~th　　第 1 号　No.1
　　　　　　　だい
　　　　　　　　　　　　　　　　第 3 回　the 3rd time

　　　　　　　　　　　　　　　　第 5 課　Lesson 5

　　　　　　　　　　　　　　　　第 1 期　第二次　NHK 第 1　第 6 スタジオ

　　　　　　　無 -　＝　～がない　無試験　no examination
　　　　　　　む
　　　　　　　　　　　　no ~　　　無計画　no planning

　　　　　　　　　　　　　　　　無意味　meaningless

　　　　　　　　　　　　　　　　無関心　無休　無料　無効　無名

　　　　　　　非 -　＝　～ではない　非公式　informal
　　　　　　　ひ
　　　　　　　　　　　　not ~, un-　非科学的　unscientific

　　　　　　　　　　　　　　　　非論理的　illogical

　　　　　　　　　　　　　　　　非生産的　非人間的　非常　非番

　　　　　　　不 -　＝　～ではない　不必要な　unnecessary
　　　　　　　ふ　　　　　～しない　不注意な　careless
　　　　　　　　　　　　un-, in-　　不親切な　unkind

　　　　　　　　　　　　　　　　不経済な　不勉強な　不自由な　不便な

接尾辞 : - 的 = ～のような 科学的 scientific
せつびじ てき -tic, -al, -tive 経済的 economical
論理的 logical
生産的　人間的　社会的　効果的　感情的

- 性 = 1. ～こと 生産性 productivity
せい -ness, -ity 人間性 humanity
実用性 practicality, usefulness

2. ～の性質 国民性 national characteristics
せいしつ 高速性 high speed
character 動物性 animal (matter)

- 化 = ～になる 近代化 modernization
か ～にする 近代化する to modernize
-ization, -ize 工業化 industrialization
工業化する to industrialize
自動化　実用化　自由化
機械化　高速化　理論化

その他 :

諸 - しょ	=	いろいろな	various	諸国	諸島	諸問題　諸事情　諸費用	
各 - かく	=	それぞれの	each	各国	各地	各会社　各新聞　各方面	
両 - りょう	=	両方の	both	両親	両者	両国　両大学　両選手	
未 - み	=	まだ～ない	not yet	未婚	未知	未完成　未発表　未使用	
- 法 ほう	=	法律 りつ	law	民法	商法	交通法　農地法	
	=	方法	method	使用法	教育法	比較法	
- 制 せい	=	制度	system	四年制	会員制	共和制	
- 課 か			lesson, section	第 1 課	経理課	営業課	
- 線 せん			line, railroad	平行線	山手線	東海道線	
- 中 ちゅう			to be ~ing	営業中	準備中	会議中　工事中	
- 中 じゅう			all ~, whole ~	日本中	世界中 せかい	一日中　一年中	

ユニット2 ・・・・・・・・・・・・・・・・・・・・・・・・・ **第45課の基本漢字**

2-1 漢字の書き方 ・・

漢字	意味	くんよみ	オンヨミ	（画数）

491 全 — whole / all — まった-く — ゼン （6）

ノ 入 今 仐 全 全

全(まった)く…ない not at all ＝全然(ぜん・ぜん)…ない
全員(ぜん・いん) all (the members)　　全部(ぜん・ぶ) all, the whole thing

492 最 — most — もっと-も — サイ （12）

1 冂 冂 日 甼 旦 冔 昻 昺 最 最 最

最(もっと)も the most　　最近(さい・きん) recently
最悪(さい・あく) the worst　　最低(さい・てい) the lowest, at least

493 無 — nothing / non- / -less — な-い — ム / ブ （12）

ノ 一 二 午 缶 無 無 無 無 無 無 無

無(な)い not to be　　無事(ぶ・じ) safety
無制限(む・せい・げん) unlimited　　無線(む・せん) wireless

漢字		意味	くんよみ	オンヨミ	（画数）

494 非

non-
un-
not good

ヒ

(8)

ノ フ ヲ 并 非 非 非 非

非現実的（ひ・げん・じつ・てき）unrealistic　　非行（ひ・こう）delinquency, misdeed

非常口（ひ・じょう・ぐち）emergency exit

495 第

rank
no. ~

ダイ

(11)

ノ ⺮ ⺮ ⺮ ⺮ ⺮ 竺 竺 笃 第 第

第三者（だい・さん・しゃ）third party　　第一（だい・いち）first, primary

第二次（だい・に・じ）secondary　　次第（し・だい）に gradually

496 的

target
(suffix to make na-
adj.)

テキ

(8)

ノ イ 白 白 白 的 的 的

目的（もく・てき）purpose, aim　　文化的（ぶん・か・てき）な cultural

個人的（こ・じん・てき）な personal, individual　　公的（こう・てき）な public, official

497 性

nature, sex
(suffix to make noun)

セイ
（ショウ）

(8)

ノ ハ ⺖ ⺖ ⺖ 忭 性 性

性別（せい・べつ）gender　　男性（だん・せい）man, male

性質（せい・しつ）nature　　可能性（か・のう・せい）possibility

漢字	意味	くんよみ	オンヨミ	（画数）

498

法 | law, rules method | | ホウ／-ポウ | （8）

丶 氵 氵 汁 汁 法 法

法律（ほう・りつ）law, legal code　　方法（ほう・ほう）method, way

使用法（し・よう・ほう）how to use　　文法（ぶん・ぽう）grammar

499

制 | control system | | セイ | （8）

丿 乍 乍 台 牛 制 制

制度（せい・ど）system　　制服（せい・ふく）uniform

会員制（かい・いん・せい）membership system　　制限（せい・げん）restriction

500

課 | impose, assign section | | カ | （15）

丶 亠 亖 言 言 言 言 訂 訂 訶 課 課

課

課（か）す to impose　　人事課（じん・じ・か）personnel section

博士課程（はく・し・か・てい）doctoral course

2-2 読み練習 ....

Ⅰ. 次の漢字の読み方をひらがなで書きなさい。

　1. 全国　　2. 最高　　3. 無理な　　4. 非科学的　　5. 第 1 課

　6. 目的　　7. 女性　　8. 性質　　9. 方法　　10. 制度

11. 最も新しい情報＝最新情報　　12. 最も重要な書類＝最重要書類

13. 無料　↔　有料　　14. 無意味な

Ⅱ. 次の文を読んでみましょう。

　1. 日本の教育制度は、6・3・3・4制である。

　2. 彼は国際交流課の課長です。 the chief of the division of international relations
　　　　　　　　さい

　3.「こと」と「の」の用法の違いを説明しなさい。

　4. この国の人々の国民性は、開放的で進歩的だと言われる。
　　　　　　　　　　　　　　　　　　　　　　　frank and progressive

　5. 最近、中学生や小学生の非行が増えている。

　6. 飛行機が落ちたが、乗客は全員無事だった。

　7. 彼は今、心理的に非常に不安定です。 psychologically very unstable
　　　　　　　　　じょう

　8. 第 3 回経済会議が東京で開かれた。

2-3 書き練習

Ⅰ. 次の□に適当な漢字を書きなさい。

1. all

ぜん　ぶ

2. the first
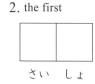
さい　しょ

3. free of charge

む　りょう

4. emergency exit

ひ　じょう　ぐち

5. Lesson 4

だい　よん　か

6. purpose

もく　てき

7. gender

せい　べつ

8. method
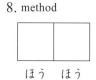
ほう　ほう

9. education system

きょう　いく　せい　ど

10. personnel section

じん　じ　か

Ⅱ. ことばの意味を考えて、適当な漢字を書いてみましょう。

1. all (the members)

ぜん　いん

2. all over the country

ぜん　こく

3. the whole

ぜん　たい

4. recently

さい　きん

5. the last

さい　ご　＝　さい　しゅう

6. the biggest

さい　だい

7. the smallest

さい しょう

8. ignorance

む ち

9. indifference

む かん しん

10. meaningless

む い み

11. safety

ぶ じ

12. unscientific

ひ か がく てき

13. illogical

ひ ろん り てき

14. unofficial

ひ こう しき

15. a third party

だい さん しゃ

16. the second time

だい に かい

17. the fifth plan

だい ご じ けい かく

18. emotional

かん じょう てき な

19. modern

きん だい てき な

20. practical

じつ よう てき な

21. theory

り ろん

→ theoretical

り ろん てき な

→ to make into a theory

り ろん か する

22. to produce

せい さん する

→ productive

せい さん てき な

→ productivity

せい さん せい

23. humanity

にん げん せい

24. sociality

しゃ かい せい

25. male

だん せい

↔ 26. female

じょ せい

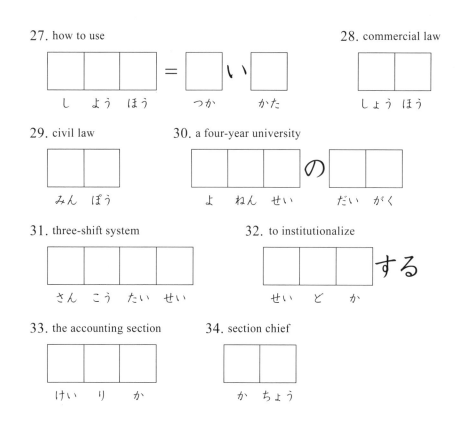

27. how to use

し	よう	ほう

= | |い| |
つか　　　かた

28. commercial law

しょう	ほう

29. civil law

みん	ぽう

30. a four-year university

よ	ねん	せい

の | | |
だい　　がく

31. three-shift system

さん	こう	たい	せい

32. to institutionalize

せい	ど	か

する

33. the accounting section

けい	り	か

34. section chief

か	ちょう

Ⅲ. 次の文を習った漢字を使って書きましょう。

1. えきまえには、きんだいてきなビルがならんでいる。

2. さいきんのだいがくせいは、ひかくてきせいじにむかんしんだ。

3. だい 45 かのぶんぽうせつめいは、わかりやすい。

4. おとうとはこうこうをでて、4 ねんせいのだいがくにすすんだ。

5. そのけいかくはあまりにひげんじつてきだ。

ユニット3 ・・・・・・・・・・・・・・・・・・・・・・・・・・・・・・ 読み物

<インターネットを使った漢字の学習法>

インターネットの検索サイトを使って、学習した漢字のことばが入っている
記事を見つけて、読んでみましょう。

たとえば、第45課で勉強した漢字のことば「安全」と「インターネット」
と「著作権」をキーワードとして入れて、記事を検索すると、多くの見出しと
記事の一部のリストが出ます。

安全　インターネット　著作権	🔍

それらの見出しの中から記事を選んでクリックすると、以下のような記事を
読むことができます。

・・

<インターネット安全教室>
パソコンを買ったら　セキュリティを考えましょう

◎パスワードの設定

持ち歩くことの多いノートパソコンは忘れたり、盗まれたりした時に簡単に内
容が他人に読みとられないようにパスワードを設定するようにしましょう。

大事なファイルにもパスワードを設定しておきましょう。

1台のパソコンを家族で使う場合、誰かが間違って
ファイルを削除したり、変更したりしないようにパス
ワード設定をしておくとよい。

*検索　search (for information)　　安全　security
著作権　copyright　　　　　　　　設定する　to set　　　　盗む　to steal
内容　contents　　　　　　　　　　他人　other people　　　誰か　someone
削除する　to delete　　　　　　　　変更する　to change

◎無線ラン

　家に無線ランを導入したら、必ずパスワードを設定し、知らない人が勝手に使えないようにしましょう。

　かけておかないと悪意のある人がネットワークに侵入し、大事なファイルやプライベートな情報を盗むこともあるので、注意が必要です。

　安全のためにパソコンを使用するには　ウィルス対策ソフトをいれること。ウィルス対策ソフトは必ず最新版に更新しておきます。

◎メールを楽しむ

　外国語で書かれた正体不明のメールや素性が特定できない個人や団体から届くメールの多くは「迷惑メール」と呼ばれるものです。迷惑メールはウィルスがついていることが多いので、絶対に開いてはいけません。

　添付ファイルは特に危ない。

　メールソフトの迷惑メール振り分け機能やプロバイダーの迷惑メール振り分けサービスを活用すること。

　このメールを他の人に送ってと書かれたチェーンメールは本当の話か少し様子をみて冷静に判断することが必要です。

◎写真を公開する

　インターネット上のサイトに写真などをアップするとき、全体に公開では、制限がかからず第三者に閲覧されたり、ダウンロードされたりしてしまいます。限定的な公開になるようにパスワードの設定をしましょう。交流サイトの各種設定を事前に把握することが大事です。

*無線ラン wireless LAN (Wi-Fi)　導入する to introduce (a policy or technology)

勝手に freely, as one pleases　侵入する to intrude, to hack　対策 measures

最新版 newest edition　更新する to renew　正体不明の unidentified

素性 identity　特定する to specify　団体 group

届く to arrive　迷惑メール spam (email)　絶対に absolutely

添付ファイル attached file　危ない dangerous　振り分け機能 filter function

他の人 other people　判断する to judge　制限 restriction

第三者 a third party　閲覧する to read　限定的 limited

各種 various, several kinds of~　事前に in advance, beforehand

把握する to grasp

◎映像を見る

著作権のある動画や写真を無断でコピーし
たり加工してインターネット上で公開したり、
友人に配布するのは法律違反になります。

◎フィッシング詐欺

送られてくるメールをクリックしてリンクしたサイトも本物そっくりに作ら
れていることがあるので、十分な注意が必要です。不当な請求は無視する。個
人情報は伝えないように。情報が漏えいし悪用される可能性があることを忘れ
ないように。

◎ファイル共有フォルダ

フォルダ共有設定をオフにしておく。フォルダ共有フォルダは必要な時だけ
オンにして利用した後はすぐにオフに戻す。

（NPO 日本ネットワークセキュリティ協会「インターネット安全教室」
http://www.oct-net.ne.jp/~sno-oita/honbu/reikai/ori130309/sekyu.html より）

*映像 picture, video 　　無断で without permission 　　配布する to distribute
法律違反 violation of the law 　詐欺 fraud, scam 　　本物そっくり just like the real thing
不当な unjust, unfair 　　請求 claim 　　無視する to ignore
漏えいする to leak 　　悪用する to abuse 　　可能性 possibility
共有 shared 　　戻す to restore

復習
ふく しゅう
Review Lesson 41-45

N： 老(人)　(家)族　(手)術　効(果)　(国)民　顔

　　歯　論(文)　(書)類　以(下)　全(国)　最(高)

　　性(質)　(方)法　制(度)　第(一)課

A： 必要な　得(意)な　美しい　無(理)な

　　非(科学)的な

Ad： 初めて

V： 訪ねる　調べる　移る　続く　過ぎる　進む

　　直す

VN： (心)配する　退(院)する　卒(業)する

　　実(験)する　失礼する　増加する　減(少)する

　　変(化)する　比較する　反対する　賛(成)する

　　共(通)する　表現する　　　　　　　　　　(50字)

Ⅰ. 次の漢字のことばを小さい単位に分けて、意味の関係を考えなさい。

例. 新空港建設反対　→　新　／　空港　／　建設　／　反対
　　　　　　　　　　　　新しい空港を建設することに反対すること

1. 無生物　　　　　→
2. 非科学的　　　　→
3. 最新情報　　　　→
4. 卒業者数　　　　→
5. 不得意科目　　　→
6. 比較文化研究　　→
7. 大家族制度　　　→
8. 効果的学習法　　→

Ⅱ. 次の（　　）に適当な漢字を下から選んで入れなさい。

1. 日本の教育システムは、6・3・3・4（　　　）である。
2. （　　　）人口の50％近くが大都市に集中している。
3. システムを合理化して、生産（　　　）を上げる。
4. この病気を治す効果（　　　）な方法を見つけなければならない。
5. このチームは、史上（　　　）強といわれた。
6. 彼は、20年間（　　　）事故（　　　）違反だ。
7. （　　　）必要な動物実験には反対だ。
8. 新しい方法を制度（　　　）する。

| 化　的　性　制　法　不　無　非　最　以　全　合 |

Ⅲ. 次のことばと反対の意味のことばを書きなさい。

例. 反対　←→　（　　賛成　　）

1. 最高　←→　（　　　　　　）　　10. 一部　←→　（　　　　　　）

2. 進化　←→　（　　　　　　）　　11. 前進　←→　（　　　　　　）

3. 心配　←→　（　　　　　　）　　12. 以上　←→　（　　　　　　）

4. 増加　←→　（　　　　　　）　　13. 最初　←→　（　　　　　　）

5. 入学　←→　（　　　　　　）　　14. 洋風　←→　（　　　　　　）

6. 入院　←→　（　　　　　　）　　15. 間接的　←→　（　　　　　　）

7. 以前　←→　（　　　　　　）　　16. 男性的　←→　（　　　　　　）

8. 自由　←→　（　　　　　　）　　17. 論理的　←→　（　　　　　　）

9. 公的　←→　（　　　　　　）　　18. 理性的　←→　（　　　　　　）

Ⅳ. 次のことばの中から適当なものを選びなさい。

1. 私はその意見に（a. 非賛成　b. 不賛成　c. 無賛成）です。

2. リーさんは（a. 日本風　b. 日本的　c. 日本性）の部屋に住んでいる。

3. この理論を（a. 実用的　b. 実用性　c. 実用化）しなければならない。

4. 彼は非常に（a. 進歩風　b. 進歩的　c. 進歩性）な考えの持ち主だ。

5. 最近は、（a. 男性用　b. 男性的　c. 男性制）の化粧品がよく売れる。
けしょうひん

6. コンピュータの（a. 使用方　b. 使用制　c. 使用法）を説明する。

7. あまり（a. 感情化　b. 感情的　c. 感情性）にならないで、話し合いましょう。

8. このレストランは、（a. 会員的　b. 会員制　c. 会員性）ですから、会員以外

の方は入れません。

音訓索引（Vol. 1 & 2）
おんくんさくいん

カタカナは音読み、ひらがなは訓読み。あいうえお順にならべ、音訓の順。同じ音訓は、課の順になっている。数字は課の数。

［あ］

あい	相	31
あいだ	間	5
あ－う	会	12
あ－う	合	29
あお	青	14
あお－い	青	14
あか	赤	23
あか－い	赤	23
あ－がる	上	4
あか－るい	明	5
あき	秋	26
アク	悪	28
あ－く	開	13
あ－く	空	39
あ－ける	明	5
あ－ける	開	13
あ－ける	空	39
あ－げる	上	4
あさ	朝	10
あし	足	6
あじ	味	28
あじ－わう	味	28
あそ－ぶ	遊	24
あたた－かい	暖	26
あたた－かい	温	26
あたた－まる	温	26
あたた－める	温	26
あたま	頭	36
あたら－しい	新	8
あ－たる	当	28
あつ－い	暑	26

あつ－い	熱	26
あつ－まる	集	37
あつ－める	集	37
あ－てる	当	28
あと	後	10
あに	兄	15
あね	姉	15
あぶら	油	11
あま	天	26
あめ	雨	6
あめ	天	26
あら－う	洗	30
あらわ－す	現	44
あらわ－す	表	44
あらわ－れる	現	44
ある－く	歩	17
あ－わす	合	29
アン	安	8
アン	暗	8
アン	案	31

［い］

イ	医	22
イ	違	28
イ	意	32
イ	位	40
イ	移	43
イ	以	43
い－う	言	11
いえ	家	12
い－きる	生	2
イク	育	22

い－く	行	9
いし	石	6
いそが－しい	忙	16
いそ－ぐ	急	31
いた－い	痛	13
いた－む	痛	13
イチ	一	3
いち	市	20
いつ－つ	五	3
いと	糸	6
いま	今	12
いもうと	妹	15
い－る	要	42
い－れる	入	17
いろ	色	23
いわ	岩	5
イン	飲	9
イン	院	18
イン	員	27
イン	引	33

［う］

ウ	雨	6
ウ	右	18
うえ	上	4
う－かる	受	29
う－ける	受	29
うご－かす	動	17
うご－く	動	17
うし	牛	7
うしな－う	失	42
うし－ろ	後	10

[こ]

[さ]

[し]

部首索引 （Radical Index）＊数字は課の数字
ぶ しゅさくいん

I. へん

1. 亻：何 休 体 低 作 便 働 住 化 使
   （人）　4　5　5　8　11　16　17　19　22　24

   借 仕 備 信 価 個 代 伝 位
   24　27　31　32　35　35　37　37　40

2. 口：味 呼
   （口）　28　37

3. 土：地 場 増
   （土）　19　19　43

4. 女：好 姉 妹 始 婚
   （女）　5　15　15　24　25

5. 弓：強 引
   （弓）　21　33

6. 彳：行 後 待 彼 術 得
   （彳）　9　10　11　15　41　42

7. 忄：忙 情 性
   （心）　16　36　45

8. 扌：持 接 指 折 払 投 打 押
   （手）　14　29　30　30　30　30　30　33

9. 氵：泳 油 海 酒 渡 治 済 洋 活 温
   （水）　11　11　11　11　17　22　22　25　25　26

   涼 深 洗 流 消 決 泊 注 泣 港
   26　30　30　30　30　30　31　32　36　39

   減 法
   43　45

10. 阝：降 院 階
    17　18　39

11. 火 ： 畑 焼
    （火） 5 37

12. 日 ： 明 暗 晩 曜 時 晴 映 暖
    （日） 5 8 10 10 11 14 23 26

13. 木 ： 林 森 校 村 様 格 相 機 横 橋
    （木） 5 5 11 20 20 29 31 32 40 40

14. 方 ： 旅 放 族
    （方） 31 39 41

15. 牛 ： 物 特
    （牛） 7 31

16. 王 ： 理 現
    （王） 22 44

17. 月 ： 服 脱
    （肉） 34 37

18. 矢 ： 短 知
    （矢） 8 33

19. 禾 ： 私 利 科 和 秋 移
    （禾） 2 16 22 25 26 43

20. 糸 ： 練 経 組 終 結 約 絡 線 紙 細 続
    （糸） 21 22 23 24 25 31 31 32 34 38 43

21. 言 ： 読 話 計 語 記 議 説 試 談 誌 設
    （言） 9 9 11 11 27 27 29 29 31 34 39
         訪 調 論 課
         41 42 42 45

22. 車 ： 転 軽 較
    （車） 27 38 44

23. 金 ： 鉄 銀
    （金） 19 35

24. 食 ： 飲 飯 館
    （食） 9 11 19

25. 馬 ： 駅 験
    （馬） 18 29

Ⅱ. つくり

1. 力 ： 動 働 勉 効
   (カ) 17 17 21 41

2. 刀 ： 切 初
   (刀) 16 44

3. 刂 ： 利 到 割 別 制
   16 32 33 37 45

4. 比 ： 北 化 比
   18 22 44

5. 口 ： 和 知 加
   (口) 25 33 43

6. 阝 ： 部 都
   18 20

7. 攵 ： 教 政 数 故 放
   9 22 22 32 39

8. 斤 ： 新 近 所 折
   8 14 19 30

9. 月 ： 明 朝 期
   (月) 5 10 35

10. 欠 ： 飲 歌 次
    (欠) 9 14 28

11. 寺 ： 待 時 持 特
    (寺) 11 11 14 31

12. 隹 ： 離 難 雑 進
    25 28 34 43

13. 頁 ： 題 願 頭 顔 類
    21 33 36 41 42

その他：竹 帰 静 親 外 社 町 研 料 冷
（左右）　6　　9　　14　　16　　18　　18　　20　　21　　23　　26

　　　　形 残 路 取 辞 報 狭 弱 眠 野
　　　　28　　29　　32　　33　　34　　35　　38　　38　　38　　40

　　　　配 礼 対 非 的
　　　　41　　42　　44　　45　　45

Ⅲ. かんむり

1. 入 ： 金 食 会 今 合 全
　　　　2　　9　　12　　12　　29　　45

2. 亠 ： 文 高 夜 方 市 京 立 交 卒 変
　　　　7　　8　　10　　10　　20　　20　　24　　32　　42　　43

3. ナ ： 友 有 右 左
　　　　15　　16　　18　　18

4. 宀 ： 字 安 宅 客 室 家 宿 寝 定 寒
　　　　7　　8　　12　　12　　12　　12　　21　　24　　25　　26

　　　　案 完 実
　　　　31　　39　　42

5. 艹 ： 花 茶 英 薬 荷 若 落 苦
　　　　7　　7　　12　　12　　14　　16　　29　　38

6. 口 ： 足 兄 号
　　　　6　　15　　19

7. 曰 ： 早 暑 最
　　　　16　　26　　45

8. 土 ： 寺 走 赤
　　　　14　　17　　23

9. 耂 ： 者 考 老
　　　　27　　36　　41

10. 田 ： 男 思
     5   23

11. 龸 ： 学 営 覚
     2   33 36

12. 宀 ： 究 窓 空
     21 34 39

13. 竹 ： 答 笑 簡 第
     21 36 38 45

14. 雨 ： 雪 雲 電
     12 12 12

Ⅳ. あし

1. 儿 ： 先 見 売 兄 元
    2   9   12 15 16

2. 力 ： 男
    5

3. 口 ： 石 古 名 右 台 品 告 喜
    6   8   16 18 34 35 35 37

4. 女 ： 安 妻 要
    8   15 42

5. 日 ： 書 音 春 暑 者
    9   23 26 26 27

6. 心 ： 思 悪 念 急 意 窓 感 悲 忘
    23 28 29 31 32 34 36 36 36

7. 木 ： 薬 楽 案 集
    12 23 31 37

8. 灬 ： 黒 熱 点 無
    23 26 28 45

9. 月 ： 青 有 育
    14 16 22

10. 田 ： 番 留
19 21

11. 貝 ： 買 質 貸 員 資 費 賛
9 21 24 27 35 39 44

その他 ： 分 岩 長 毎 前 奥 着 歩 公 県
（上下） 4 5 8 10 10 15 17 17 19 20

島 習 画 写 真 色 予 式 夏 冬
20 21 23 23 23 23 25 25 26 26

商 業 農 当 受 準 発 具 器 産
27 27 27 28 29 31 32 34 34 35

驚 単 置 歯 美 直 表
37 38 40 41 43 44 44

V. たれ

1. 厂 ： 歴 原
22 40

2. 广 ： 広 店 度 府 座 席
13 13 13 20 24 25

3. 尸 ： 屋 局
13 32

4. 疒 ： 病 疲 痛
13 13 13

VI. かまえ

1. 冂 ： 円 肉 内 同
   　　　3　7　18　28

2. 匚 ： 区 医
   　　　20　22

3. 囗 ： 田 四 国 回 困 図 園
   　　　1　3　13　13　13　19　19

4. 門 ： 門 間 聞 開 閉 問 関
   　　　1　5　9　13　13　21　32

その他： 向 風
   　　　40　40

VII. にょう

1. 辶 ： 週 近 遠 速 遅 道 通 遊 返 送
   　　　10　14　14　14　14　14　17　24　24　24

   運 選 違 適 連 退 過 進
   27　27　28　28　31　41　43　43

その他： 勉 題 起 建
   　　　21　21　24　39

VIII. 全体で一つの漢字
（分けられない漢字）

1画： 一
3

2画： 人 二 七 八 九 十 力 入
1 3 3 3 3 3 4 17

3画： 山 川 口 土 子 女 三 千 万 上
1 1 1 2 2 2 3 3 3 4

下 大 小 夕 工 々
4 4 4 10 19 35

4画： 日 月 木 火 水 五 六 円 中 手
1 1 1 2 2 3 3 3 4 6

文 牛 少 方 午 父 夫 不 止 欠
7 7 8 10 10 15 15 16 17 25

天 心 太 反
26 36 38 44

5画： 田 生 四 本 半 目 石 母 主 出
1 2 3 4 4 6 6 15 15 17

史 白 立 正 由 用 平 民 必 失
22 23 24 28 33 34 40 41 42 42

以
43

6画： 百 年 耳 米 糸 多 気 名 西 式
3 3 6 6 6 8 16 16 18 25

自 曲 成 両 共
33 37 39 40 44

7画： 車 貝 来 言 弟 良 求
1 6 9 11 15 28 33

8画： 金 雨 東 画 事 果 並
2 6 18 23 27 29 37

9画： 昼 乗 南 面 品 重 飛
10 17 18 29 35 38 39

10画： 馬 鳥 魚 商 器
7 7 7 27 34

基本漢字 500 のリスト
きほんかんじ

絵からできた漢字： 日 月 火 水 木 金 土 山 川 田
人 女 子 目 口 耳 手 足 車 門
雨 竹 米 石 糸 魚 鳥 牛 馬 貝

(30)

記号からできた漢字： 一 二 三 四 五 六 七 八 九 十
上 下 中 大 小 本 半 分 力 円

(20)

組合せでできた漢字： 明 休 体 好 男 林 森 間 聞 畑
岩

(11)

-い形容詞になる漢字： (大)(小)(明) 新 古 長 短 高 安 低
暗 多 少 広 狭 近 遠 速 遅 早
白 黒 赤 青 暑 熱 寒 冷 暖 温
涼 良 悪 正 難 強 弱 若 忙 深
細 太 重 軽 眠 苦 痛 楽 悲 美

(47)

-な形容詞になる漢字： 元 気 有 名 親 切 便 利 不 静
適 当 残 念 自 由 簡 単 必 要
得 意 無 理 (好)

(24)

動詞になる漢字：

行	来	帰	食	飲	見	聞	読	書	話
買	教	作	泳	待	言	会	売	疲	困
開	閉	晴	持	歌	出	入	乗	降	着
渡	通	走	歩	止	動	働	住	習	答
起	寝	遊	立	座	使	始	終	貸	借
返	送	選	違	受	落	折	払	投	打
洗	流	消	決	泊	急	信	押	引	割
取	求	願	知	感	泣	笑	覚	忘	考
思	伝	代	呼	焼	曲	脱	別	集	並
喜	驚	飛	建	置	向	訪	調	増	加
減	変	移	続	過	進	比			

（上）（下）（分）（休）（聞）（切）

（107）

名詞になる漢字：

私	彼	友	客	父	母	兄	弟	姉	妹
夫	妻	前	後	左	右	東	西	南	北
花	茶	肉	文	字	物	油	海	酒	飯
朝	昼	夜	晩	夕	方	時	年	今	何
宅	家	薬	雪	雲	店	国	道	寺	奥
外	駅	所	市	町	村	区	都	府	県
島	数	音	色	形	味	春	夏	秋	冬
点	線	者	次	窓	服	紙	銀	品	空
港	横	橋	頭	顔	歯	指	原	野	風

（90）

熟語になる漢字：

百　千　万　学　生　先　午　毎　週　曜

校　計　語　室　英　電　度　病　屋　荷

主　部　社　院　地　鉄　工　場　図　館

公　園　番　号　京　様　題　宿　政　治

経　済　歴　史　育　化　科　医　映　画

写　真　料　組　洋　式　和　天　仕　事

記　議　員　商　業　農　同　試　験　面

接　結　果　特　交　機　関　局　路　故

台　具　器　辞　雑　誌　資　個　価　産

期　々　情　階　設　費　位　平　両　老

族　術　効　民　論　実　類　以　共　直

初　全　最　非　第　的　性　法　制　課

（120）

‐する動詞の漢字：

練(習)　勉(強)　研　究　留(学)　質　問

(結)婚　離(婚)　欠　席　予　定　(生)活

運　転　説(明)　合　格　旅(行)　(予)約

案　内　準　備　相　談　連　絡　(出)発

到(着)　注(意)　営(業)　用(意)　報　告

完　成　放(送)　心　配　退(院)　卒(業)

失　礼　(比)較　反　対　賛(成)　表　現

（51）

計 500 字

漢字番号順音訓索引 Basic Kanji Book vol.2 で学習した漢字の読み一覧
かんじ ばんごうじゅんおんくんさくいん いちらん

漢字番号	漢字	課	読み（「：」は「自動詞：他動詞」の対を表す。細字は BKB には載せていないが常用漢字表にある読みで、[　]はその語例。）					
252	映	BKB-23	うつ-る：うつ-す	エイ				は-える
253	画	BKB-23	ガ	カク				
254	写	BKB-23	うつ-る：うつ-す	シャ				
255	真	BKB-23	ま	シン				
256	音	BKB-23	おと	オン			ね[本音]	イン[母音]
257	楽	BKB-23	たの-しい	たの-しむ	ガク	ラク		
258	料	BKB-23	リョウ					
259	組	BKB-23	く-む	くみ／-ぐみ	ソ			
260	思	BKB-23	おも-う	シ				
261	色	BKB-23	いろ	ショク				シキ[色彩]
262	白	BKB-23	しろ	しろ-い	ハク		しら[白壁]	ビャク[白夜]
263	黒	BKB-23	くろ	くろ-い	コク			
264	赤	BKB-23	あか	あか-い	セキ	あか-らむ：あか-らめる	シャク[赤銅]
265	起	BKB-24	お-きる：お-こす	お-こる	キ			
266	寝	BKB-24	ね-る	ね-かす	シン			
267	遊	BKB-24	あそ-ぶ	ユウ				ユ[遊山]
268	立	BKB-24	た-つ／たち-	た-てる	リツ			リュウ[建立]
269	座	BKB-24	すわ-る	ザ				
270	使	BKB-24	つか-う	シ				
271	始	BKB-24	はじ-まる：はじ-める	シ				
272	終	BKB-24	お-わる：お-える	シュウ				
273	貸	BKB-24	か-す	タイ				
274	借	BKB-24	か-りる	シャク／シャッ-				
275	返	BKB-24	かえ-る：かえ-す	ヘン				
276	送	BKB-24	おく-る	ソウ				
277	結	BKB-25	むす-ぶ	ケツ／ケッ-			ゆ-う	ゆ-わえる
278	婚	BKB-25	コン					
279	離	BKB-25	はな-れる：はな-す	リ				
280	席	BKB-25	セキ					
281	欠	BKB-25	か-ける：か-く	ケツ／ケッ-				
282	予	BKB-25	ヨ					
283	定	BKB-25	さだ-まる：さだ-める	テイ			さだ-か	ジョウ[定規]
284	洋	BKB-25	ヨウ					
285	式	BKB-25	シキ					
286	和	BKB-25	ワ	なご-む	なご-やか	やわ-らぐ：やわ-らげる	オ[和尚]
287	活	BKB-25	カツ／カッ-					

288	春	BKB-26	はる	シュン			
289	夏	BKB-26	なつ	カ			ゲ[夏至]
290	秋	BKB-26	あき	シュウ			
291	冬	BKB-26	ふゆ	トウ			
292	暑	BKB-26	あつ-い	ショ			
293	熱	BKB-26	あつ-い	ネツ／ネッ-			
294	寒	BKB-26	さむ-い	カン			
295	冷	BKB-26	ひ-える：ひ-やす	つめ-たい	レイ	ひ-やかす　ひ-や さ-める：さ-ます
296	暖	BKB-26	あたた-かい	ダン	あたた-まる：あたた-める	あたた-か
297	温	BKB-26	あたた-まる：あたた-める	あたた-かい	オン	あたた-か
298	涼	BKB-26	すず-しい	リョウ			すず-む
299	天	BKB-26	あめ	あま-	テン		
300	仕	BKB-27	シ			つか-える　ジ[給仕]
301	事	BKB-27	こと	ジ			ズ[好事家]
302	者	BKB-27	もの	シャ			
303	運	BKB-27	はこ-ぶ	ウン			
304	転	BKB-27	ころ-ぶ	テン	ころ-がる：ころ-がす	ころ-げる
305	選	BKB-27	えら-ぶ	セン			
306	記	BKB-27	キ				しる-す
307	議	BKB-27	ギ				
308	員	BKB-27	イン				
309	商	BKB-27	ショウ				あきな-う
310	業	BKB-27	ギョウ			わざ　ゴウ[業腹]
311	農	BKB-27	ノウ				
312	良	BKB-28	よ-い	リョウ			
313	悪	BKB-28	わる-い	アク			オ[悪寒]
314	点	BKB-28	テン				
315	正	BKB-28	ただ-しい	セイ	ショウ	ただ-す　まさ
316	違	BKB-28	ちが-う	イ			ちが-える
317	同	BKB-28	おな-じ	ドウ			
318	適	BKB-28	テキ				
319	当	BKB-28	あた-る：あて-る	トウ			
320	難	BKB-28	むずか-しい	ナン			かた-い
321	次	BKB-28	つ-ぐ	つぎ	ジ		シ[次第]
322	形	BKB-28	かたち	ケイ	ギョウ		かた
323	味	BKB-28	あじ	あじ-わう	ミ		
324	試	BKB-29	こころ-みる	ため-す	シ		
325	験	BKB-29	ケン				ゲン[霊験]
326	面	BKB-29	おも	メン			おもて　つら
327	接	BKB-29	つ-ぐ	セツ／セッ-			

No.	漢字	Lesson						
328	説	BKB-29	セツ／セッ-				と-く　　ゼイ[遊説]	
329	果	BKB-29	カ				は-て　　は-てる：は-たす	
330	合	BKB-29	あ-う：あ-わす	ゴウ	ガッ		あ-わせる　　カッ[合戦]	
331	格	BKB-29	カク				コウ[格子]	
332	受	BKB-29	う-かる：う-ける	ジュ				
333	落	BKB-29	お-ちる：お-とす	ラク／ラッ-				
334	残	BKB-29	のこ-る：のこ-す	ザン				
335	念	BKB-29	ネン					
336	指	BKB-30	ゆび　　さ-す	シ				
337	折	BKB-30	お-る　　セツ				お-れる　　おり	
338	払	BKB-30	はら-う				フツ[払拭]	
339	投	BKB-30	な-げる　　トウ					
340	打	BKB-30	う-つ　　ダ					
341	深	BKB-30	ふか-まる：ふか-める	ふか-い	シン			
342	洗	BKB-30	あら-う　　セン					
343	流	BKB-30	なが-れる：なが-す	リュウ			ル[流布]	
344	消	BKB-30	き-える：け-す	ショウ				
345	決	BKB-30	き-まる：き-める	ケツ／ケッ-				
346	旅	BKB-31	たび　　リョ					
347	約	BKB-31	ヤク					
348	案	BKB-31	アン					
349	準	BKB-31	ジュン					
350	備	BKB-31	ビ				そな-わる：そな-える	
351	相	BKB-31	あい　　ソウ	ショウ				
352	談	BKB-31	ダン					
353	連	BKB-31	つ-れる　　レン				つら-なる：つら-ねる	
354	絡	BKB-31	ラク			から-まる　　から-める　　から-む		
355	泊	BKB-31	と-まる：と-める	ハク／-パク				
356	特	BKB-31	トク／トッ-					
357	急	BKB-31	いそ-ぐ　　キュウ					
358	線	BKB-32	セン					
359	発	BKB-32	ハツ／ハッ-／-パツ				ホツ[発起]	
360	到	BKB-32	トウ					
361	交	BKB-32	ま-じる　　まじ-わる　　コウ			まじ-える　　ま-ざる：ま-ぜる　　か-う：か-わす		
362	機	BKB-32	キ				はた	
363	関	BKB-32	カン				せき　　かか-わる	
364	局	BKB-32	キョク					
365	信	BKB-32	シン					
366	路	BKB-32	ロ				じ	
367	故	BKB-32	コ				ゆえ	

368	注	BKB-32	チュウ					そそ-ぐ
369	意	BKB-32	イ					
370	押	BKB-33	お-す			お-さえる	オウ[押印]
371	引	BKB-33	ひ-く	イン				ひ-ける
372	割	BKB-33	わ-れる：わ-る	わり	カツ			さ-く
373	営	BKB-33	エイ					いとな-む
374	自	BKB-33	ジ			みずか-ら	シ[自然]
375	由	BKB-33	ユ	ユウ			よし	ユイ[由緒]
376	取	BKB-33	と-る	シュ				
377	求	BKB-33	もと-める	キュウ				
378	願	BKB-33	ねが-う	ガン				
379	知	BKB-33	し-る	チ				
380	台	BKB-34	ダイ	タイ				
381	窓	BKB-34	まど	ソウ				
382	具	BKB-34	グ					
383	器	BKB-34	うつわ	キ				
384	用	BKB-34	もち-いる	ヨウ				
385	服	BKB-34	フク					
386	紙	BKB-34	かみ	シ				
387	辞	BKB-34	ジ					や-める
388	雑	BKB-34	ザツ／ザッ-	ゾウ				
389	誌	BKB-34	シ					
390	銀	BKB-35	ギン					
391	資	BKB-35	シ					
392	品	BKB-35	しな	ヒン				
393	個	BKB-35	コ					
394	価	BKB-35	カ					あたい
395	産	BKB-35	う-まれる：う-む	サン				うぶ[産湯]
396	期	BKB-35	キ					ゴ[最期]
397	々	BKB-35	symbol of repetition					
398	報	BKB-35	ホウ					むく-いる
399	告	BKB-35	コク					つ-げる
400	心	BKB-36	こころ	シン				
401	感	BKB-36	カン					
402	情	BKB-36	なさ-け	ジョウ				セイ[風情]
403	悲	BKB-36	かな-しい	かな-しむ	ヒ			
404	泣	BKB-36	な-く					キュウ[号泣]
405	笑	BKB-36	わら-う	ショウ				え-む
406	頭	BKB-36	あたま	トウ	ズ		かしら	ト[音頭]
407	覚	BKB-36	さ-める：さ-ます	おぼ-える	カク			
408	忘	BKB-36	わす-れる	ボウ				

No.	漢字	Lesson						
409	考	BKB-36	かんが-える	コウ				
410	伝	BKB-37	つた-わる：つた-える	デン			つた-う	
411	代	BKB-37	か-わる：か-える	ダイ	タイ	よ[君が代]	しろ[飲み代]	
412	呼	BKB-37	よ-ぶ	コ				
413	焼	BKB-37	や-ける：や-く	ショウ				
414	曲	BKB-37	ま-がる：ま-げる	キョク				
415	脱	BKB-37	ぬ-げる：ぬ-ぐ	ダツ／ダッ-				
416	別	BKB-37	わか-れる	ベツ				
417	集	BKB-37	あつ-まる：あつ-める	シュウ			つど-う	
418	並	BKB-37	なら-ぶ：なら-べる	なみ	ヘイ		なら-びに	
419	喜	BKB-37	よろこ-ぶ	キ				
420	驚	BKB-37	おどろ-く	キョウ			おどろ-かす	
421	細	BKB-38	ほそ-い	こま-かい	サイ	ほそ-る	こま-か	
422	太	BKB-38	ふと-い	ふと-る	タイ	タ[丸太]		
423	重	BKB-38	おも-い	ジュウ	かさ-なる：かさ-ねる	え[二重]	チョウ[貴重]	
424	軽	BKB-38	かる-い	ケイ		かろ-やか		
425	狭	BKB-38	せま-い	キョウ		せば-まる：せば-める		
426	弱	BKB-38	よわ-い	よわ-る	ジャク	よわ-まる：よわ-める		
427	眠	BKB-38	ねむ-い	ねむ-る	ミン			
428	苦	BKB-38	くる-しい	くる-しむ	にが-い	ク	くる-しめる	にが-る
429	簡	BKB-38	カン					
430	単	BKB-38	タン					
431	空	BKB-39	あ-く：あ-ける	そら	クウ		から	
432	港	BKB-39	みなと	コウ				
433	飛	BKB-39	と-ぶ：と-ばす	ヒ				
434	階	BKB-39	カイ					
435	建	BKB-39	た-つ：た-てる	ケン			コン[建立]	
436	設	BKB-39	セツ／セッ-				もう-ける	
437	完	BKB-39	カン					
438	成	BKB-39	な-る／なり	セイ		な-す	ジョウ[成就]	
439	費	BKB-39	ヒ			つい-える：つい-やす		
440	放	BKB-39	はな-す	ホウ		はな-つ	はな-れる	ほう-る
441	位	BKB-40	くらい	イ				
442	置	BKB-40	お-く	チ				
443	横	BKB-40	よこ	オウ				
444	向	BKB-40	む-く：む-ける	む-こう	コウ		む-かう	
445	原	BKB-40	はら	ゲン				
446	平	BKB-40	たい-ら	ヘイ	ビョウ		ひら	
447	野	BKB-40	の	ヤ				
448	風	BKB-40	かぜ	フウ		かざ[風車]	フ[風情]	
449	両	BKB-40	リョウ					

450	橋	BKB-40	はし	キョウ				
451	老	BKB-41	お-いる	ロウ				ふ-ける
452	族	BKB-41	ゾク					
453	配	BKB-41	くば-る	ハイ／-パイ				
454	術	BKB-41	ジュツ					
455	退	BKB-41	しりぞ-く	タイ				しりぞ-ける
456	効	BKB-41	き-く	コウ				
457	民	BKB-41	ミン					
458	訪	BKB-41	たず-ねる	おとず-れる	ホウ			
459	顔	BKB-41	かお	ガン				
460	歯	BKB-41	は	シ				
461	卒	BKB-42	ソツ					
462	論	BKB-42	ロン					
463	実	BKB-42	み	みの-る	ジツ			
464	調	BKB-42	しら-べる	チョウ				ととの-う：ととの-える
465	必	BKB-42	かなら-ず	ヒツ				
466	要	BKB-42	い-る	ヨウ				かなめ
467	類	BKB-42	ルイ					たぐい
468	得	BKB-42	え-る	トク				う-る
469	失	BKB-42	うしな-う	シツ／シッ-				
470	礼	BKB-42	レイ					ライ[礼賛]
471	増	BKB-43	ふ-える：ふ-やす	ま-す	ゾウ			
472	加	BKB-43	くわ-わる：くわ-える	カ				
473	減	BKB-43	へ-る：へ-らす	ゲン				
474	変	BKB-43	か-わる：か-える	ヘン				
475	移	BKB-43	うつ-る：うつ-す	イ				
476	続	BKB-43	つづ-く：つづ-ける	ゾク				
477	過	BKB-43	す-ぎる：す-ごす	カ			あやま-つ	あやま-ち
478	進	BKB-43	すす-む：すす-める	シン				
479	以	BKB-43	イ					
480	美	BKB-43	うつく-しい	ビ				
481	比	BKB-44	くら-べる	ヒ				
482	較	BKB-44	カク					
483	反	BKB-44	ハン			そ-る：そ-らす	ホン[謀反]	タン[反物]
484	対	BKB-44	タイ	ツイ				
485	賛	BKB-44	サン					
486	共	BKB-44	とも	キョウ				
487	直	BKB-44	なお-る：なお-す	チョク			ただ-ちに	ジキ[正直]
488	表	BKB-44	あらわ-す	ヒョウ			あらわ-れる	おもて
489	現	BKB-44	あらわ-れる：あらわ-す	ゲン				
490	初	BKB-44	はじ-め	はじ-めて	はつ	ショ	そ-める	うい

491	全	BKB-45	まった-く		ゼン					すべて
492	最	BKB-45	もっと-も		サイ					
493	無	BKB-45	な-い	ム	ブ					
494	非	BKB-45	ヒ							
495	第	BKB-45	ダイ							
496	的	BKB-45	テキ							まと
497	性	BKB-45	セイ		ショウ					
498	法	BKB-45	ホウ／-ポウ					ハッ［法度］	ホッ［法主］	
499	制	BKB-45	セイ							
500	課	BKB-45	カ							

執 筆 者 略 歴

加納千恵子

筑波大学大学院地域研究研究科修士課程修了。
日本青年海外協力隊の派遣によりマレーシアのマラ工科大学語学センター日本語講師、筑波大学留学生教育センター非常勤講師を経て、現在、筑波大学人文社会系教授。

清水百合

コロンビア大学ティーチャーズカレッジ応用言語学科修士課程修了。
元九州大学留学生センター教授。

谷部弘子

筑波大学大学院地域研究研究科修士課程修了。
国際交流基金の派遣により在中国日本語研修センター日本語講師、筑波大学留学生教育センター非常勤講師、国際交流基金日本語国際センター日本語教育専門員を経て、現在、東京学芸大学留学生センター教授。

石井恵理子

学習院大学大学院人文科学研究科博士前期課程修了。
インターカルト日本語学校講師、筑波大学留学生教育センター非常勤講師、国立国語研究所日本語教育部門第一領域長等を経て、現在、東京女子大学現代教養学部教授。

[新版] BASIC KANJI BOOK
—基本漢字500—　VOL.2

2015 年 10 月 5 日　　初版第 1 刷発行

著　　　者	加納千恵子，清水百合，谷部弘子，石井恵理子
発　　　行	株式会社　凡 人 社 〒 102-0093 東京都千代田区平河町 1-3-13 TEL：03-3263-3959
イ ラ ス ト	酒井弘美
カバーデザイン	前田純子
本文デザイン	清水百合，Atelier O.ha

ISBN 978-4-89358-883-8